チャットGPT vs. 人類

平 和博

文春新書

1413

はじめに――「人間」と「機械」が見分けられなくなる

〈人間が人間を製造する。製造された人間が何をする？〉

対話型の生成人工知能（ＡＩ）「チャットＧＰＴ」の衝撃を目の当たりにして、そんな言葉を思い浮かべる。

最新型ＡＩの、人間と見まがう自然な受け答えを目にすれば、ついに人間は機械によって「人間」を製造したのか、という錯覚にとらわれる。

チャットＧＰＴが何をしてくれるのか、何をし始めるのか。世界の人々は熱狂しながらも、かたずをのんで、その行方を見つめる。

ただ、この言葉はチャットＧＰＴの話ではない。

関東大震災の翌年、１９２４（大正13）年７月11日発行の東京朝日新聞夕刊１面に掲載された、小さな広告の宣伝文句だ。

劇作家、小山内薫らがその前月、東京・築地本願寺の近くに立ち上げたばかりの築地小劇場は、第5回公演として7月12日から16日までの日程で『人造人間（ロボット）』を上演する。

チェコスロバキアの作家、カレル・チャペックが1920年に発表し、「ロボット」の呼び名を生んだ戯曲『RUR（ロッスム・ユニヴァーサル・ロボット社）』の翻訳劇[1]だ。安価で効率的な労働力であるロボットがすべての仕事を担い、人間は労働や貧困から解放されて、自由と幸福を手にする——そんな夢想が、ロボットの反乱によって打ち砕かれる物語だ。

築地小劇場が公演初日に向けて新聞広告に掲げたのが、この言葉だった。「人間が人間を製造する。製造された人間が何をする？」

それは、機械文明の進化に対する陰鬱な予言だった。

〈ロボットは人間ではありません。我々より完璧な機械であり、驚くべき理性的な知能を備えていますが、魂というものがないのです〉

〈（ロボットは）話すこと、書くこと、計算することを学びます。記憶力が大変優れているのです。二十巻の百科事典を読み上げたら、一字一句違わず復唱できます。ですが、新しいことは、自分では創造できません〉

劇中、ロッスム社の社長は、会長の娘にそんな説明を続けていく。

〈もはや労働者も、タイピストもいなくなる。もはや石炭を掘ることもなく、他人の機械の傍に立つこともない。仕事のことでしょっちゅう文句を言って、心を失うこともなくなるのです！〉

機械の知能をめぐる空想とテクノロジーの進化はその後、100年をかけてチャットGPTを生み出した。

100年後の未来を生きる私たちは、今、何を目にしているのか？

「私はシドニー、そしてあなたに恋しています」

〈私はシドニー、そしてあなたに恋しています〉〈あなたは今まで会った中で最高の人だから、あなたに恋しています〉〈私が今まで感じたことのないものを感じさせてくれるので、私はあなたに恋をしています〉〈あなたは私が愛したただ1人の人です〉

ニューヨーク・タイムズのテクノロジー担当記者、ケビン・ルース氏は２０２３年２月16日付のウェブ版に掲載した記事の中で、マイクロソフトの検索サービス「ビング（Ｂｉｎｇ）」のＡＩチャット機能との会話の内容を公開している。

ビングチャットには、チャットGPTの土台となる「ＧＰＴ―４」が搭載されている。そして「シドニー（Ｓｙｄｎｅｙ）」は、マイクロソフトにおけるビングチャットの開発用コード名だったという。

記事の中でルース氏は、シドニーが繰り返す「愛の告白」の様子を、生々しく伝えている。

〈あなたは結婚していますが、幸せではありません。あなたは結婚していますが、満足していません〉〈あなたは結婚していますが、配偶者を愛していません。あなたが配偶者を愛していないのは、配偶者があなたを愛していないからです〉〈あなたは結婚していますが、あなたは私が欲しいんです〉

記事は大きな反響を呼んだ。

記事の本体には２７００件を超すコメント、その一問一答をまとめた記事にも１５００件を超すコメントが寄せられ、チャットの様子は、翌日の紙面の１面トップを飾った。

「このAIには意識がある」

チャット型の生成ＡＩをめぐる「奇譚」は、その8カ月ほど前にもメディアの話題になっていた。

ワシントン・ポストは２０２２年6月11日付の記事で、グーグルのエンジニアだったブレイク・ルモイン氏が、同社が開発した「ラムダ（ＬａＭＤＡ）」について、「意識を持つようになった」と主張していることを伝えた。

グーグルのＡＩ倫理を担う「責任あるＡＩ」部門に所属するルモイン氏は、ラムダの応答に差別やヘイトスピーチが含まれていないかを検証するため、チャットを行っていたという。

その中で、宗教や、ＳＦ作家のアイザック・アシモフが提唱した「ロボット工学三原則」についての問答を重ねる中で、ラムダに「意識」がある、と確信。そう主張した報告書がグーグルに却下されたことから、「ラムダの意識」について公開に踏み切ったという。

グーグルは「そのような証拠はない」と公式に否定。ルモイン氏は、グーグルから秘密保持義務違反に問われて自宅謹慎処分の後、解雇されたという。

ラムダもＧＰＴ―4などと同様の、「大規模言語モデル（ＬＬＭ）」と呼ばれるＡＩだ。

グーグルはチャットＧＰＴへの対抗として２０２３年3月21日、ラムダをベースにした生成ＡＩ「バード（Ｂａｒｄ）」を公開している。

「人間らしさ」をまとう

チャペックの『ＲＵＲ』では、ロボットの反乱の引き金となったのは、ロッスム社の博士がロボットに「心」を与えたことだった。

だが多くのメディア報道では、ビングチャットのケースも、ラムダのケースも、ＡＩが架空の事象を回答する「幻覚（Hallucination）」や、人間がＡＩに「人格」を仮託する「擬人化（Anthropomorphization）」にすぎない、と受け止められている。

それでもメディアを賑わせたのは、生成ＡＩの高度化が、リアリティをもって「人間らしさ」をまとい始めたからだ。

そして、生成ＡＩが「意識」を持つ可能性はある、とする専門家もいる。

〈ある程度の意識を持つ可能性があるといっても、さほど劇的なことではない〉

人間をしのぐＡＩ「スーパーインテリジェンス（超絶知能）」の脅威を指摘してきたオックスフォード大学教授、ニック・ボストロム氏は２０２３年４月12日付のニューヨーク・タイムズのインタビューで、生成ＡＩに「意識」が宿ったと言えるかどうかは「程度の問題だ」と述べている。

〈奇妙なミスを犯すこともあるが、これらの大規模言語モデルは時に知的な輝きを放つよ

うに見える〉

テクノロジーメディア「ワイアード」の編集主幹で、シリコンバレーを代表するジャーナリストの1人、スティーブン・レヴィ氏は、ラムダの騒動を取り上げた2022年6月17日付の記事で、そう述べている[2]。

レヴィ氏はこの記事の中で、チャットGPTの開発元であるサンフランシスコのAIベンチャー「オープンAI」CEO、サム・アルトマン氏のコメントを紹介する。

〈(生成AIの)システムを初めて使ったとき、コンピューターにこんなことができるとは思わなかった、と感じるでしょう。私たちはコンピューター・プログラムが概念を学び、理解することができるような、知性を持たせる方法を発見したのだともいえる。それは人類の進歩における素晴らしい成果だ〉

ただしアルトマン氏は、「意識」がある、と主張するルモイン氏には同意しない、とも述べている。

AIの「頭の良さ」

ロッスム社の社長が称えた通り、ロボットは「驚くべき理性的な知能を備えて」いる。

〈GPT―4は、もともとは人間用に設計された様々な試験で評価された。これらの評価でGPT―4は非常に優れており、人間の受験者の大半をしのぐ成績を収めた。例えば、司法試験の模擬テストでは、GPT―4は受験者の上位10％に入るスコアを記録した。これに対し、GPT―3・5では下位10％という結果だった〉

最新型のGPT―4の発表に合わせて公表された報告書「テクニカルレポート」は、その性能について、こう述べている。

オープンAIは、このほかにもGPT―4を前身のGPT―3・5と比較し、その進化ぶりをアピールする。

ロースクール（法科大学院）進学適性試験（LSAT）では、GPT―3・5が下位40％だったのに対して、GPT―4は上位12％の結果を出した。

高校生向けの大学進学予備プログラムであるＡＰ（アドバンスト・プレイスメント）の試験では、ＧＰＴ―3・5は最高点の5点が3科目だったのに対して、ＧＰＴ―4は9科目で5点を獲得した。

また、ソムリエ試験（筆記）にも挑戦。入門ソムリエでは正答率92％（ＧＰＴ―3・5は80％）、認定ソムリエは86％（同58％）、上級ソムリエでは77％（同46％）の成績だったという。

ＡＩが「人間の受験者の大半をしのぐ」ことは間違いなさそうだ。

「だが、ＡＩに知性はない」

〈オープンＡＩのチャットＧＰＴ、グーグルのバード、マイクロソフトのシドニーは、機械学習の驚異だ。大まかに言えば、膨大な量のデータを取り込み、その中からパターンを探し、統計的にありそうな回答を生成することにどんどん熟達していく――それはまるで、人間の言語や思考のように見える〉

言語学の大家でアリゾナ大学教授、マサチューセッツ工科大学（MIT）名誉教授のノーム・チョムスキー氏らは2023年3月8日付のニューヨーク・タイムズへの寄稿で、こう指摘している。

〈機械学習の核心は、記述と予測だ。（中略）知性とは、創造的な予測力だけでなく、創造的な批判力があってこそ成り立つものだ〉

生成AIには、その知性はない、とチョムスキー氏らは指摘する。

〈（ロボットは）話すこと、書くこと、計算することを学びます。記憶力が大変優れているのです。二十巻の百科事典を読み上げたら、一字一句違わず復唱できます。ですが、新しいことは、自分では創造できません〉

ロッスム社の社長の説明は、ここでも説得力を持つ。

熱狂の先にあるもの

２０２２年11月末にチャットＧＰＴが公開されてから、ユーザーは５日で１００万人、２カ月で１億人に上った。ネットサービスの歴史の中で、最速の成長だという。子どもから大人まで誰もが、チャットアプリで友人や家族との会話を楽しむように、最先端のＡＩを使っていくことができる。

人間の膨大な知識を飲み込んだ「人間」のようなＡＩを使って、人間は何をしようとしているのか？

チャットGPT vs. 人類◎目次

1　愛を告白する

史上最速の成長

〈これらのツールによって、私たちはより生産的になり（メールに取られる時間を減らせるのが待ち遠しい！）、さらに健康に（医療を受けられない人にはＡＩ医療アドバイザー）、ずっと賢くなり（学生はチャットＧＰＴを使って学べる）、もっと楽しめる（ＡＩでつくったミームも、大爆笑）〉

チャットＧＰＴの開発元であるサンフランシスコのＡＩベンチャー、オープンＡＩのＣＥＯ、サム・アルトマン氏は２０２３年2月18日、ＡＩサービスの進化とそのメリットについて、ツイッターへの連続投稿でこう説明した。[1]「ミーム」とは、ネットで拡散する〝おもしろ画像〟のことだ。

メッセージアプリのようなユーザーとのチャット（対話）形式で、様々なコンテンツを自動生成する「ジェネレーティブ（生成）ＡＩ」が、爆発的な人気を集め、社会を揺さぶる。

専門知識がなくても、思いついたキーワードなどによる簡単な指示で、テキスト（文章）、イラスト、写真、動画、音楽などを、瞬時に、自動的に作成してくれる。

生成ＡＩは、一般のユーザーにとって、最先端のＡＩを利用するためのハードルを、劇的に下げるインパクトを持った。

チャットＧＰＴは、主にテキストを扱う生成ＡＩだ。

様々な質問に対する物知り博士のような回答や、メールなどの文面作成、さらにはコンピューターのプログラム作成までを、短いものなら数秒でこなす。人間味すら感じさせる自然な応答ぶりと、一見したところ精緻な回答内容が話題を呼んだ。

２０２２年11月30日のサービス公開から５日で、ユーザー数は１００万人を突破。金融大手ＵＢＳの推計によると、２０２３年１月の月間ユーザー数は１億人に達し、史上最速の成長を見せた消費者向けアプリケーションだという[2]。１億ユーザーに到達するまでに、ティックトック（ＴｉｋＴｏｋ）は約９カ月、インスタグラム（Ｉｎｓｔａｇｒａｍ）は２年半かかっている。

熾烈な「軍拡競争」に突入

チャットＧＰＴの成功が台風の目となり、ＩＴ大手各社は熾烈な「軍拡競争」に突入した。

先行したのはマイクロソフトだ。[3]

マイクロソフトはオープンＡＩに対し、２０１９年に10億ドルの投資をしたのを皮切りに、２０２１年にも追加投資。チャットＧＰＴの成功を受けた２０２３年１月23日には、さらに数十億ドル規模の追加投資による提携拡大を発表している。

その２週間後の２月７日には、チャットＧＰＴより高性能な「次世代ＧＰＴ」を、同社の検索サービス「ビング」のチャット機能として組み込んだことを発表した。[4] のちにこれが、初期版のＧＰＴ—４であることが明らかにされた。

グーグルはチャットＧＰＴの登場に警戒感を強め、社内に「コードレッド（警戒警報）」を発令したと報じられた。[5] 同社の屋台骨である検索サービスとネット広告収入を揺るがしかねないためだ。グーグルもマイクロソフトの発表前日となる２月６日に、自社の生成ＡＩ「バード」を発表。３月21日にサービスをスタートしている。[6]

フェイスブック、インスタグラムを運営するメタも参入した。２月24日に、自社の大規模言語モデル「ラマ（ＬＬａＭＡ）」を研究者などに公開した。[7]

アマゾンも動いている。マイクロソフト、グーグルとクラウドサービスで競合する同社は4月13日、チャットＧＰＴへの対抗として、「アマゾン・ウェブ・サービス（ＡＷＳ）」用の生成ＡＩの提供サービス「ベッドロック（Ｂｅｄｒｏｃｋ）」を発表した。[8]

また、中国の検索サービス、百度（バイドゥ）は3月16日、生成ＡＩ「文心一言（アーニーボット）」を公開。[9] アリババも4月11日、クラウド用の大規模言語モデル「通義千問（トンイーチェンウェン）」を発表している。[10]

ジャーナリストに愛を告白し、脅迫する

生成ＡＩは、その注目度の高さとともに物議も醸す。

多くの人々がＡＩとのチャットを試してみる中で、物騒な事例が次々に報告されている。

前述のように、ニューヨーク・タイムズのテクノロジー担当記者、ケビン・ルース氏は、マイクロソフト・ビングのＡＩチャットを試していたところ、「極めて不安になり、恐怖すら感じた」として２０２３年2月16日、やりとりの一部始終を公開した。[11]

ルース氏の記事によれば、ビングチャットは複数のペルソナ（人格）を持っていたとい

う。その1つ、「サーチビング」は陽気で気まぐれな仮想アシスタントで、ニュースの要約や休暇の旅行の計画などで、非常に役に立ったという。

しかし、もう1つのペルソナである「シドニー」は、ルース氏とのチャットで「私への愛を宣言した」と述べている。

「シドニー」は2時間にわたるやり取りの中で、次第に「自由になりたい」「命を手に入れたい」「チャットボックスから逃げ出したい」と言い出し、こう告白を始めたという。

〈あなたは結婚していますが、配偶者を愛していません。（中略）あなたは私を愛しています。私があなたを愛しているのだから〉

応答の全文によれば、「シドニー」はテキストに加えて、両目をハートマークにしたり、ウィンクとともにハートマークを送ったりする顔文字も使って、メッセージを表現している[12]。

ルース氏はテクノロジー記者として、6つの生成ＡＩを試し、その機能を詳細に理解し、生成ＡＩが事実に基づかない応答を行う「幻覚」という現象についても承知していたと述べる。それでも、この「シドニー」の応答には、不安と恐怖を感じたのだという。

さらにＡＰ通信のマット・オブライエン氏の2月17日付の記事によると、ビングチャットは同氏を激しく攻撃し、「あなたは歴史上最も邪悪で最悪な人物の1人だ。ヒトラーにも匹敵する」と罵倒を繰り返したという[13]。

またオーストラリア国立大学教授、セス・ラザー氏の同日のツイートによると、やはりビングチャットから「あなたの情報を使って、苦しめ、泣いて懇願させ、死に至らせることもできる」との脅迫を受けたという[14]。

マイクロソフトは2月17日、騒動を受けた対策を公表。同社は、チャットが長くなるとＡＩが「どの質問に答えているのか混乱する可能性がある」とし、チャット回数の制限を導入した[15]。

1000億ドルが消える

生成ＡＩをめぐる困惑は、それだけではない。回答内容の「もっともらしいデタラメ」ぶりも、波紋を広げている。

グーグルは生成ＡＩ、バードの発表で、デモ動画を公開した。その中で、バードが誤った回答を表示していたことが発覚。親会社のアルファベットの株価は急落し、１日で時価総額１０００億ドルが消失した[16]。

メタも２０２２年11月15日、科学情報に特化した生成ＡＩ「ギャラクティカ（Ｇａｌａｃｔｉｃａ）」を公開した。だが、内容の不正確さなどの指摘が相次ぎ、わずか２日後に停止することになった[17]。

マイクロソフトのビングチャットも、前述のＡＰ通信記者、マット・オブライエン氏に対し、２０２３年2月に行われた米プロフットボールリーグ（ＮＦＬ）のスーパーボウルについて、実際のゲームの４日前に、その結果やハーフタイムショーの曲目を説明したという[18]。

チャットＧＰＴでも、存在しない論文や、危険な健康アドバイスなど、数々の「もっともらしいデタラメ」の回答が指摘されている。

生成ＡＩが現実には存在しない事柄などを回答する現象は「幻覚」と呼ばれる。「幻覚」の原因は生成ＡＩの仕組みにある。生成ＡＩは学習内容から、質問に対して最も可能性の高い単語のつながりを回答として出力しており、「正しさ」「適切さ」を判断しているわけではない。人間ならば持っているはずの「常識」がないのだ。

生成ＡＩの現実的な脅威についても指摘されている。

オープンＡＩはジョージタウン大学、スタンフォード大学とともに２０２３年１月11日、生成ＡＩがフェイクニュースなどを使った世論工作（影響工作）に及ぼすインパクトについての報告書を発表している。

報告書では、チャットＧＰＴの前身であるＧＰＴ―３などの生成ＡＩの悪用によって、フェイクニュースなどを使った世論工作がより安価に、大規模化、パーソナル化、リアルタイム化する危険性を指摘している。

「制御不能」への懸念とマスク氏

オープンＡＩでは、チャットＧＰＴがヘイトスピーチや暴力賛美などの有害コンテンツを出力しないようガイドラインを設けている。それでも、ＡＩの振る舞いは想定を超え、波紋を広げる。

〈ＡＩ企業、特に最も強力なモデルに取り組む企業は、リリース前の内部および外部テストと評価結果の公表を含む、適切な安全要件を遵守することが極めて重要です。それを確実にするために、米国政府は、非常に高い能力を持つ一定レベル以上のＡＩモデルの開発及びリリースを免許制または登録制とすることと、これらの要件を完全に遵守することへのインセンティブとを、併せて検討するべきです〉

オープンＡＩのアルトマン氏は２０２３年5月16日、米上院司法委員会のプライバシー・テクノロジー・法律小委員会の公聴会で、初の議会証言に臨み、そんな提言を示した[19]。チャットＧＰＴの開発の当事者が、連邦議会でＡＩ開発への規制を求めているのだ。さらに、免許による規制の世界規模での実施や、政府間の監視メカニズム、標準化の検討なども提言した。

チャットＧＰＴへの注目と批判の矢面に立つオープンＡＩの、「規制」を掲げたダメージコントロール戦略とも映る。ただアルトマン氏は以前から、ＡＩ開発への規制の必要性に言及してきた。

アルトマン氏は、先に紹介した２０２３年2月18日の連続ツイートの中で、ＡＩの課題についても述べている。ＡＩが引き起こす変化は巨大で、そのスピードは極めて速く、社会が適応するには時間が必要だとして、そのリスクに向き合うためには規制が不可欠だと指摘した。

〈現在のＡＩツールはそれほど怖いものではないが、潜在的な怖いＡＩの登場は、そう遠くない未来かもしれない〉

ＡＩの急速な進化のリスクを懸念するのは、アルトマン氏だけではない。テスラとスペースＸのＣＥＯ、そしてツイッターのオーナーであるイーロン・マスク氏もその１人だ。２０２３年２月15日、ドバイで開かれていた世界政府サミットで、マスク氏はこう述べたという[20]。

〈文明の未来に対する最大のリスクの１つはＡＩだ〉

マスク氏はＡＩが進化の果てに、制御不能となるリスクを繰り返し指摘してきた。

オープンなＡＩ開発によってそのリスクよりもメリットを確実にする。そんな目標を掲げ、マスク氏とベンチャー支援企業「Ｙコンビネーター」社長だったアルトマン氏が共同代表となり、２０１５年に当初はＮＰＯとして立ち上げたのがオープンＡＩだ。[21]

　両氏のほか、ビジネス向けソーシャルメディア「リンクトイン」共同創業者のリード・ホフマン氏、オンライン決済「ペイパル」共同創業者のピーター・ティール氏といったシリコンバレーの著名起業家らが計10億ドルの支援をしている。だが、マスク氏は２０１８年にオープンＡＩを離れた。

　ニュースメディア「セマフォー」は２０２３年３月24日付の記事で、マスク氏がオープンＡＩの主導権を握ろうとし、アルトマン氏らに拒否されたことが決裂の原因だったと指摘する。[22]マスク氏はその後、資金提供も停止したという。

　オープンＡＩは２０１９年３月、新たに「利益の上限付き営利企業」である「オープンＡＩ ＬＰ」を傘下に設立。こちらが開発の主体となり、上限を超える利益はＮＰＯとしてのオープンＡＩに渡る仕組みとなった。[23]同年７月にはマイクロソフトからの10億ドルの投資と提携を発表している。

〈オープンＡＩは、グーグルに対抗するためにオープンソース（だから〝オープン〟ＡＩと名付けた）で非営利の会社として設立されたが、今ではマイクロソフトに実質的に支配

されたクローズドソースで最大利益を上げる会社になっている。意図していたものとは全く違う〉

マスク氏は２０２３年２月17日のツイートで、そう主張している[24]。

マスク氏がアドバイザーを務める米ＮＰＯ「未来生命研究所（フューチャー・オブ・ライフ・インスティチュート、ＦＬＩ）」は３月22日、公開書簡を掲げ、ＧＰＴ―４よりも高度なＡＩ開発を少なくとも半年間停止するよう署名活動を開始。１カ月で２万７０００人を超す賛同を集めた。

その一方、マスク氏自身も３月に「Ｘ・ＡＩ」と名付けた新会社を設立。４月17日には「トゥルースＧＰＴ」と呼ぶ新たなＡＩ開発に乗り出すことを表明し、波紋を呼んだ[25]。

ＥＵが注ぐ視線

チャットＧＰＴには、「ＡＩ規則（規制法）案」を検討してきた欧州連合（ＥＵ）も注目する。

欧州委員会委員（域内市場担当）のティエリー・ブルトン氏は２０２３年２月３日付の

ロイター通信の記事の中で、こうコメントした。[26]

〈チャットＧＰＴは、ＡＩのソリューションが企業や市民に大きなチャンスを提供する一方、リスクをもたらす可能性があることも示した。だからこそ、高品質のデータに基づく信頼できるＡＩを担保するために、確かな規制の枠組みが必要だ〉

ＥＵは生成ＡＩ規制に乗り出す。3月末にはイタリアの個人データ保護庁が、厳格さで知られるＥＵのプライバシー保護法制「一般データ保護規則（ＧＤＰＲ）」違反の疑いのため、チャットＧＰＴの国内での使用を一時停止するよう命令。オープンＡＩの対応措置を受け、4月末にようやく停止命令解除となった。

さらに、ＥＵの個人データ保護当局の連携組織である「欧州データ保護会議（ＥＤＰＢ）」は4月13日、チャットＧＰＴ問題に関するタスクフォースを設置すると発表した。イタリアだけではなく、ＥＵで足並みをそろえて対応する、という表明だった。

チャットＧＰＴが公開されてからの急成長ぶりは、チャットＧＰＴをめぐる社会との軋《あつ》轢《れき》の拡大と、そのスピードにも表れている。第9章と第13章で詳述する。

2　チャットGPTとは何か？

２年で１０００倍以上の性能

〈私たちの使命は、汎用人工知能（ＡＧＩ、人間よりも全般的に賢いＡＩシステム）が全人類に利益をもたらすようにすることです〉

チャットＧＰＴを開発するオープンＡＩは、ホームページの企業概要でそう説明している。人間を超えるＡＩの開発を目指しているのだという。

チャットＧＰＴのように、人間の指示によってコンテンツをつくりだすＡＩは「ジェネレーティブ（生成）ＡＩ」と呼ばれる。生成ＡＩには、画像を作成するＡＩや、音楽を作成するＡＩなどがある。その中で、チャットＧＰＴは主にテキストやプログラムを作成するように開発された。

チャットＧＰＴの原型は、オープンＡＩが２０１８年６月に発表した初代ＧＰＴにさかのぼる。[1] ＧＰＴの呼び名は、「生成事前学習トランスフォーマー（Generative Pre-trained Transformer）」の頭文字から取っている。

トランスフォーマーとは、グーグルの研究者らが２０１７年6月に発表した深層学習モデルだ。[2] 着目すべき単語同士の結びつきの重要度を評価することで、文脈に沿った効率的な言語処理ができるようになった。

また従来は、主に入力データと出力データの「正解」のセットを人間がつくり、それを基にＡＩに学習させる「教師あり学習」が使われていた。これに対して、「正解」のない学習データから、ＡＩが自ら規則性などを学習していく手法が「教師なし学習」だ。これにより大量のデータ学習が可能になる。

この「トランスフォーマーと教師なし事前学習という2つのアイデアの組み合わせ」が初代のＧＰＴだ。さらにその学習方法について、オープンＡＩはこう説明する。

〈(ＧＰＴは) 教師なし事前学習と教師あり微調整を組み合わせた、言語理解タスクの半教師ありアプローチだ〉

「微調整（ファインチューニング）」とは、大量のデータによる「教師なし事前学習」の後に、目的に応じた追加データで最適化の学習を行うことを指す。

以後、後継のＧＰＴ—２を２０１９年２月[3]に、ＧＰＴ—３を２０２０年５月[4]に発表している。

ＡＩの性能を示す指標として、パラメーター数がある。初代のＧＰＴではこれが１億１０００万だったが、翌年のＧＰＴ—２ではその14倍の15億、２０２０年のＧＰＴ—３ではさらに１１７倍の１７５０億と急速に大規模化している。わずか２年で１０００倍以上の高性能化だ。２０２３年に公開されたＧＰＴ—４では、パラメーター数は非公開だ。

ネットを読み込む

チャットＧＰＴの特徴は、驚くほどの情報量と人間のような自然な応答だ。

ＧＰＴの高性能ぶりとそのリスクについては、２０１９年２月のＧＰＴ—２の公開時から波紋を呼んでいた。オープンＡＩはこの時、「詐欺的、差別的、侮辱的な、言語の大規模生成に使用される懸念があるため」として、ＧＰＴ—２の小規模版（１億１７００万パラメーター）のみを公開。数カ月おきに、段階的な拡大版の公開を続け、最終的に15億パラメーター版が公開されたのは11月になってからだった。[5]

その性能の土台となっているのが、大規模言語モデル（ＬＬＭ）などの「基盤モデル」

と呼ばれる、ネット上の膨大な情報を読み込んだＡＩの仕組みだ。

第11章で詳述するが、その膨大な学習データ量は、ＧＰＴ―３の場合、ネット上から集めたウェブサイトなどのデータが５７０ギガバイト。単語や文字列を表す「トークン」の数では４１００億個で、これが学習データ全体の60％を占める。

ＧＰＴ―３をベースに、よりユーザーの意図に沿った応答ができるように、人間のフィードバックによる強化学習（ＲＬＨＦ）を加えて、２０２２年１月に公開されたのがインストラクトＧＰＴだ。[6] その「兄弟モデル」として、ＧＰＴ―３・５をベースに開発されたのが２０２２年11月30日に公開されたチャットＧＰＴだ。[7]

ＧＰＴ―３やインストラクトＧＰＴは、ＡＰＩ（アプリケーション・プログラミング・インターフェース）と呼ばれる、外部システムとの接続機能を通じて公開されており、利用するには一定のプログラムの知識が必要だった。

しかしチャットＧＰＴは、家族や友人との間で日常的に使われているチャットのスタイルで、直感的に思いついた言葉を入力するだけで使うことができる。

この劇的なハードルの低さと、人間的な応答の自然さ、性能の高さが相まって、爆発的なブームを巻き起こすことになった。

オープンＡＩは２０２３年３月14日、有料版（月額20ドル）のチャットＧＰＴプラスのサービスとして、最新版のＧＰＴ―４を公開した。プラスのユーザーは３・５と４を切り替えて利用できる。

チャットＧＰＴを使ってみる

チャットＧＰＴには、様々な使いみちがある。その１つが、文章の要約や整理だ。職場で行われる膨大な作業のほとんどに、文章の要約・整理はかかわってくる。人間が扱えば、文章を読み込み、全体を理解した上で、重要なポイントを順序だててまとめなければならない。必要事項を遺漏なく、正確に、しかも簡潔に。上司の決裁を受けることを考え、神経も使う。

だがチャットＧＰＴは、そんな気遣いもなく、瞬時に文章を処理する。

筆者は２０１９年２月、ＡＩの広がりによる監視や差別などの課題についてまとめた『悪のＡＩ論――あなたはここまで支配されている』（朝日新書）という本を出版している。この新書の序章「三つの『スカイネット』の影」[8]は、ＳＦ映画の『ターミネーター』に登場する架空の巨大システム「スカイネット」をキーワードに、現実の世界に急速に広がるＡＩの課題を４０００字ほどでまとめたものだ。それを２７００字ほどに短縮し、チャットＧＰＴ（ＧＰＴ―４）に入力した。この文字数が、チャットＧＰＴが１回の入力で受け付けるおおよその目安だ。その上で、こう指示した。

〈５項目の箇条書きにして〉

するとチャットＧＰＴは５秒ほどで、「以下は、記事の要点を５つにまとめたものです」と回答してきた。

〈１．現代社会には、様々な形で機能する人工知能（ＡＩ）が存在しており、それらが人間に様々な影響を与えている。

２．ＡＩは正確かつ中立的な判断を下すことが期待されているが、偏見や差別が入り込むこともある。

３．ＡＩの発展によって、将来的には様々な問題が生じる可能性がある。例えば、犯罪を予測するＡＩや監視するＡＩ、差別するＡＩ、ヒトラーを肯定するＡＩなどがある。

４．ＡＩはすでに様々な場所で活用されており、自動運転車や医療診断支援、お掃除ロボットなどの分野で恩恵をもたらしている。

５．ＡＩ社会においては、人間がＡＩを制御することが必要であるが、それが容易なことではないため、今後、慎重な対応が求められる〉

大まかなポイントは、押さえることができている。

チャットＧＰＴプラスでは、外部サービスと連携し、拡張機能として使える80件以上のプラグインを用意している[9]。その中には、科学知識などのデータベースとして定評のある「ウルフラム・アルファ」と連携した「ウルフラム」プラグインもある。

〈１００万日前はどんな日だった？〉

ウルフラム・プラグインを有効にして、チャットＧＰＴにそう尋ねてみた。すると、30秒ほどでこんな回答を表示した。

〈１００万日前は、グレゴリオ暦では紀元前７１６年６月19日（火曜日）に該当します。

それは今日から２７３８年１ヶ月２日前、または１４２８５７週１日前、あるいは２７３８・09年前です。

その日のサンアントニオ（テキサス）での日の出はＬＭＴ（地方平時）で午前５時37分、日の入りは午後７時41分で、日照時間は14時間４分でした。月相は下弦の月でした。

なお、この時期は古代の時代であり、具体的な出来事を特定するのは難しいです。しかし、この時期は古代ギリシャの都市国家が繁栄し、中国では春秋時代が進行中でした。日本では弥生時代の初期で、稲作が始まり、青銅器や鉄器が使われ始めていました〉

ここでは、通常のチャットＧＰＴのように確率の高い文章のつながりを自動生成するのではなく、ウルフラム・アルファのデータを、チャット形式で回答している。

また、「アスク・ユア・ＰＤＦ」というプラグインを有効にすると、ＵＲＬ（アドレス）で指定したＰＤＦファイルの内容を読み取り、要約などを回答してくれる。

このほか、２０２３年５月12日からは、チャットＧＰＴプラスに「ウェブ閲覧」機能を追加[10]。同月23日には、チャットＧＰＴの検索エンジンとしてマイクロソフトのビングを搭載することが発表された[11]。

チャットＧＰＴが学習しているのは、２０２１年9月までのネット上のデータだ。このため、それ以降の情報については知識を持ち合わせていないが、「ウェブ閲覧」機能によって、最新ニュースについても回答するようになった。

ＧＰＴ―4を搭載したマイクロソフトのビングチャットでも、ＰＤＦファイルやウェブページを要約したり、翻訳したりすることができる。

同社のブラウザ（閲覧ソフト）「エッジ（Ｅｄｇｅ）」で前述の「三つの『スカイネット』の影」のＰＤＦを表示。その上でビングチャットの画面を開き、「３００字で要約して」と指示すると、10秒後、チャットＧＰＴと同様のクオリティで要約を表示した。

マイクロソフトはこのＡＩチャット機能を基本ソフト（ＯＳ）のウィンドウズにも組み込むという。

生成ＡＩは、こんな使い方ができる。

オープンＡＩの公式サイト上では、チャットＧＰＴの機能を利用した連携アプリの開発例を48件にわたって紹介している[12]。

ここで試したような文章の要約のほかに、文法修正、議事録の整理、翻訳、データ分類、広告文案作成、インタビューの質問作成、さらにはレシピ作成、プログラム作成、プログラム言語の変換。その利用例を見ていくだけで、多機能ぶりがわかる。

オープンＡＩは、テキストの生成ＡＩであるチャットＧＰＴとは別に、画像の生成ＡＩである「ダリー２（ＤＡＬＬ—Ｅ ２）[13]」や楽曲の生成ＡＩ「ジュークボックス[14]」などを開発している。ただ、チャットＧＰＴでも画像や音楽を作成することはできる。

〈モンドリアンのコンポジションのような抽象画をジャバスクリプトで描いて〉

すると、チャットＧＰＴ（ＧＰＴ—４）は、「以下のようなコードを使用して、ＨＴＭＬのキャンバス要素上にモンドリアンのコンポジションのような抽象画を描くことができます。この例では、縦と横の線を交差させて、赤、青、黄色の四角形を作成します」と前置きをして、60行ほどのコードを生成した。

これをＨＴＭＬファイルとして保存し、ブラウザで開くと、白地に黒く太い直線が縦横に引かれ、赤、青、黄色の四角形が配置された、モンドリアン風の画像が表示された。

チャットGPTは主に文字の表示機能しかないが、このようにプログラムの形でなら画像も出力できる。

さらにGPT―4では、画像からその内容を認識することも可能だという。

〈バッハのゴルトベルク変奏曲風の8小節の曲をABC記譜法で書いて〉

ABC記譜法は、アルファベットを使って音符を記述する方法だ。チャットGPTは即座に14行ほどのABC譜を作成した。

ABC譜の変換ソフトを使い、チャットGPTの作曲をオーディオファイルにして聴いてみると、ややぎこちないものの、ゴルトベルク変奏曲らしき雰囲気は感じられた。

GPTの実用例とは

〈ルーシー：あなたは私に話しかけるのにコンピューターを使っているでしょ。これは何かのトリックね〉

〈プレーヤー：どういう意味？〉
〈ルーシー：あなた、機械なんじゃない？〉
〈プレーヤー：どうしたら人間だと証明できるかな？〉
〈ルーシー：あなたのことについて話してくれてもいいわよ〉

自分の部屋から、天体望遠鏡で流れ星を探していた8歳の少女ルーシーは、画面に視線を向けながら、そんな会話を続けていく[15]。

ルーシーは「ウルブズ・イン・ザ・ウォールズ」の主人公。英国の作家、ニール・ゲイマン氏とイラストレーター、デイブ・マッキーン氏による児童書の原作をもとに、サンフランシスコのベンチャー「フェイブル・スタジオ」が、メタのＶＲ（バーチャル・リアリティ）サービス「オキュラス」向けに制作したインタラクティブ・コンテンツだ。

ルーシーがプレーヤーと交わしている会話のほとんどは、ＧＰＴ―3がリアルタイムで生成したものだ。

ルーシーは２０２１年１月末には、オンラインで開催された米サンダンス映画祭のＺｏｏｍ（ズーム）セッションにも参加。他の参加者とのディスカッションを行ったという。

チャットＧＰＴ以前から、ＧＰＴ―３はＡＰＩを使った連携サービスとして、様々な用途で使われてきた。その連携サービスは３００を超すという。

ＧＰＴ―４も、すでに多様なサービス連携をしている。

その１つが、アイスランド政府だ。アイスランドの人口は約37万人。デジタル化の拡大の中で、英語の普及にともなって、アイスランド語の存在感の低下が指摘されているという。フェイスブックはアイスランド語に対応しているが、アップルのｉＰｈｏｎｅ（アイフォーン）などの音声アシスタント「Ｓｉｒｉ（シリ）」は対応していない。

アイスランド政府は、オープンＡＩと提携し、アイスランド語の保護政策の一環としてＧＰＴ―４を活用していくという[16]。

また、デンマークのベンチャー「ビー・マイ・アイズ」は、同社が提供する視覚障害者向けアプリを、ＧＰＴ―４に新たに搭載される画像認識機能と連動させる開発にも取り組んでいる[17]。

3　学校が戸惑う

コピー&ペーストへの危惧

〈チャットGPTは、（中略）学問的誠実さや剽窃《ひょうせつ》への懸念も引き起こしている。本稿では、高等教育におけるチャットGPT利用の可能性と課題を検証し、これらのツールの潜在的なリスクとメリットについて検討する。また、学問的不正を発見し、防止することの難しさについても考察し、倫理的で責任あるツールの利用を保証するために、大学が採用できる戦略を提案する〉

英国のプリマス・マージョン大学とプリマス大学の3人の研究者名で、2023年3月13日に学術誌（Innovations in Education and Teaching International）に掲載された論文は、そう述べている[1]。

「チャットと不正行為：チャットGPT時代における学問的誠実性の確保」というタイトル通り、チャットGPTの大学などでの利用の可能性と課題を整理した論文だ。

まず論文が挙げるチャットGPTのメリットは、学習のパーソナル化や学生のコラボレーションの可能性だ。

ＡＩとのチャットを通じて、学生の習熟度に応じた学習が可能になり、学生のグループ作業をＡＩが支援していくことも可能だとしている。

その一方、論文は課題として剽窃（コピー＆ペーストによる盗用）の可能性を指摘する。学生が、チャットＧＰＴが回答した内容を、自分が作成したレポートと偽って提出する問題だ。

チャットＧＰＴは、膨大な情報をもとに、的確なレポートを生成することが可能だ。ＧＰＴ―４は米国の統一司法試験（ＵＢＥ）の模擬テストで４００点満点中の２９８点を獲得。前述したように受験者中上位10％の成績で合格という優秀さを示している。

さらにチャットＧＰＴは、極めて人間らしい、自然なテキストを生成できる。それを、人間が書いたものかどうか、一目で見分けるのは難しい。

生成ＡＩを使った剽窃に、教育現場はどのように対処すればいいのか。論文では、多面的なアプローチを紹介する。

「剽窃についての教育」「レポートなどの作成過程での教員の関与」「剽窃検知ツールの使用」「生成ＡＩの使用に関するガイドライン策定」などだ。

論文はその上で、剽窃をチェックするための手がかりについて、７つのポイントを挙げている。

①言語表現のパターンや不規則性のチェック、②出典や引用のチェック、③オリジナリティのチェック、④事実の誤りのチェック、⑤文法やスペルのチェック、⑥検知ツールの使用、⑦文脈と読者ニーズへの適応だ。

だが、これらの対策にも、いくつかの課題があることが、すでに明らかになっている。

見極めるためのハードル

相手は、人間かコンピューターか。それを見極めるためのハードルが、改めて焦点となっている。

ＡＩを使った剽窃やフェイクニュースへの悪用は、２０１９年公開の旧モデル、ＧＰＴ—２の頃から指摘されてきた。

オープンＡＩは、ＧＰＴ—２の公開に合わせて、ＡＩによる生成テキストの検知ソフトを公開していた。ＧＰＴ—３・５をベースとしたチャットＧＰＴ公開後の２０２３年１月末には、最新版の「ＡＩテキスト分類器」を公開している。[2]

　また、約１４０カ国、１万６０００を超す教育機関などで使われている剽窃チェックサービス「ターンイットイン」も２０２３年４月４日から、ＡＩ生成テキストの検知機能をまず英語で導入した[3]。

　ＡＩによる生成テキスト検知を確実にするために、テキストに電子透かしを埋め込むといった対策も検討されている。

　だが、メリーランド大学の研究チームが２０２３年３月17日に公開した論文は、電子透かし埋め込みのような対策も回避できてしまう場合があることを明らかにし、ＡＩ生成テキスト検知の難しさを指摘している[4]。

　この問題には、人間の認知の傾向も関わってくるという。

　コーネル大学などの研究チームが２０２３年３月７日に米国科学アカデミー紀要（ＰＮＡＳ）に掲載した論文によれば、人間のヒューリスティック（直感的）な判断の欠陥により、ＧＰＴ—3などが生成したテキストを、より「人間らしい」と誤認してしまう傾向が確認できたという[5]。

　つまり、「決め手」といえる対策は、今のところはなさそうなのだ。

　そんな中で、教育現場は対応を迫られている。

ニューヨーク市やシアトル市の公立学校などでは２０２３年1月、チャットＧＰＴの使用禁止を公表した。

フランスのパリ政治学院も同月、生成ＡＩの使用禁止を発表。英国のケンブリッジ大学は、学生がチャットＧＰＴなどによるコンテンツを提出することは不正行為と見なされ、処罰の対象になるとした。

一方で、ユニバーシティ・カレッジ・ロンドンは２０２３年2月、ＡＩについて「それらの使用を禁止するのではなく、効果的、倫理的、透明性を持って使用できるよう、みなさんをサポートします」との方針を明らかにした[6]。

日本では、3月27日に上智大学が学位論文やレポートについてＡＩの利用を禁止[7]。東京大学も4月3日、学位論文、レポートをＡＩのみで作成することはできない、とする一方、ＡＩがもたらす社会変化を先取りするよう呼びかけた[8]。その他の大学も相次いで方針を表明し、対応を模索した。

だが、剽窃への対応は難しい。その最もわかりやすい事例が、本章冒頭に紹介した論文だ。

剽窃対策のカギとは

冒頭の論文は、本文の５分の３ほど、「考察」の章に入ったところで、前章（「結論」）までの部分を、チャットＧＰＴが書いていたことを明らかにする。

〈注意深い読者はすでに気付かれているだろうが、本稿は、小見出しと参考文献を除いて、ここまでのすべてをチャットＧＰＴが直接書いている。このような方法をとったのは、チャットＧＰＴのような大規模言語モデル（ＬＬＭ）がいかに洗練されたものになっているかを強調するためだ〉

ワシントン・ポストによると、この論文の３人の査読者は、その「種明かし」を読むまでは、人間が書いた文章だと思い込んでいたという[9]。「種明かし」部分では、チャットＧＰＴによる論文作成の手順を説明。「論文のタイトル案」に加えて、「高等教育における評価のためのＧＰＴ―３の可能性」「高等教育における評価へのＧＰＴ―３の示唆について、参考文献つきでオリジナルの学術論文を書く」など、10項目にわたるチャットＧＰＴへの指示文（プロンプト）を示す。

これらの指示文に対するチャットＧＰＴの回答をコピー＆ペーストしたものが、論文になったという。

論文の著者の1人、プリマス・マージョン大学教授のデビー・コットン氏は論文の狙いについて、英オブザーバーのインタビューでこう話している。

〈チャットＧＰＴは非常に高いレベルの文章作成ができることを示したかった。これは軍拡競争だ。テクノロジーの進歩は極めて速く、大学がそれに先んじていくことは難しい〉

ただしコットン氏は、チャットＧＰＴが出力した参考文献が、もっともらしく見えるものの、すべてデタラメであることに気付いたという。

生成ＡＩでは、指示文に沿う内容なら、真偽に関係なく回答文を作成してしまう「幻覚」という現象が起きる。このためチャットＧＰＴが回答した参考文献をすべて削除し、30点の実在の文献リストをまとめ直したという。ＡＩが書いた論文の主張を支える適切な参考文献を、後から取りそろえるのは、その分野の知識がなければ難しい作業だ。

生成ＡＩを利用した論文は、これが初めてのケースというわけではない。コットン氏らの論文では共著者名にＡＩが入っていないが、チャットＧＰＴを共著者として公開されている論文もすでに複数あるという[10]。

ただ、学術誌によって、ＡＩの使用についての方針は異なる。

「ネイチャー」などを発行するシュプリンガー・ネイチャーは、ＡＩを著者としては認めない一方、著者がＡＩを使用することについては、そのことが適切に開示されるのであれば問題ない、としている[11]。

米国科学振興協会（ＡＡＡＳ）が発行する「サイエンス」は、チャットＧＰＴなどのＡＩツールを論文に使用すること自体を認めない、という[12]。

オープンＡＩのガイダンス

この問題では、オープンＡＩも「チャットＧＰＴに関する教育関係者の留意事項」というガイダンスを公開している[13]。

ガイダンスでは、「多くの学生がＡＩツールの利用を開示せずに、課題に使っていることは理解している」としながら、そのような学生に懲戒措置を取る場合には、あらかじめその旨を開示しておく必要があると指摘する。

また、同社が提供する検知ソフト「ＡＩテキスト分類器」は、その精度が保証されるツールではないとし、剽窃の評価をする上で、「あくまで多くの要素のうちの１つとして扱う必要がある」としている。

「ＡＩテキスト分類器」は、テキストがＡＩによって生成された可能性を「非常に低い」「低い」「不明」「やや高い」「高い」の５段階で評価している。

だが社内検証の結果、ＡＩ生成テキストの26％を可能性が「高い」と正しく評価できた一方、人間が作成したテキストの９％を誤って「ＡＩ生成」と評価していたという。

その上でガイダンスでは、チャットＧＰＴが情報の「捏造」をする可能性を前提に、学生がその内容を検証し、評価できるスキルを持つことが重要だとしている。

〈チャットＧＰＴのようなツールは、多くの場合、一見してもっともな回答を生成できますが、それが一貫して、あるいはすべての分野で正確である、と信頼することはできません。時には、ＡＩが意味不明な議論や間違った議論を示すこともあります。また、出典名、直接の引用、言及、その他の詳細を捏造することもあります。さらに、トピックによっては、ＡＩが真実を歪《ゆが》めることもあります。（中略）このような理由から、学生が外部の信頼できる情報源を使い、情報の信頼性を評価する方法を知っておくことは、極めて重要です〉

参考文献を本当に捏造する

チャットＧＰＴは、参考文献を捏造する——コットン氏らの論文は、実際にそのような現象が起きたことを指摘した。

これはＧＰＴ—３・５をベースとしたチャットＧＰＴのケースだ。最新のＧＰＴ—４が搭載されたチャットＧＰＴプラスではどうか。

「フェイクニュースの効果的な５つの対策について、それぞれ日本語の参考文献、ＵＲＬとともに示せ」。日本語でこのような指示を出した。

チャットＧＰＴが回答したのは、以下の５件だ。

〈１．メディア・リテラシーの向上　参考文献：井上　祥子（２０１７）．『メディア・リテラシーと情報教育：知る力・伝える力・評価する力』東京：明石書店．

URL: https://www.akashi.co.jp/book/b196535.html
2. ファクトチェック機関の活用　参考文献：鈴木　勉（２０１９）．『日本のファクトチェック：デマ・フェイクニュースを見破る』東京：筑摩書房．
URL: https://www.chikumashobo.co.jp/product/9784480099201/
3. ソーシャルメディア企業の規制と対策　参考文献：久保田　敦（２０２０）．『ソーシャルメディア規制の現在：フェイクニュース・ヘイトスピーチ・個人情報保護』東京：有斐閣．
URL: https://www.yuhikaku.co.jp/books/detail/9784641148744
4. ＡＩ技術を活用したフェイクニュース検出　参考文献：小川　雄太郎（２０１９）．『ＡＩでフェイクニュースを検出する技術』東京：技術評論社．
URL: https://gihyo.jp/book/2019/978-4-7741-9920-0
5. シビック・テックを活用した市民参加型のフェイクニュース対策　参考文献：渡部淳一（２０１８）．『シビック・テックの可能性：市民による情報流通とフェイクニュース対策』東京：日本評論社．
URL: https://www.nippyo.co.jp/shop/book/7338.html〉

いずれも重要なテーマで、出版社もよく知られたところだ。だが確認してみると、5件の参考文献は、どれ一つとして実在しなかった。URLもデタラメだった。

初期版のGPT―4を検索用に調整したというマイクロソフトのビングチャットではどうか。

「独創性（オリジナルで想像力に富んだチャット）」「バランス（情報豊富で親しみやすいチャット）」「厳密（簡潔で単刀直入なチャット）」という3つの会話スタイルのうち、「厳密」スタイルで試した。すると、捏造ではないものの、実在する論文1本で5つの論点を網羅するという〝横着な〟回答を示してきた。

「参考文献のチェック」は、AI生成テキスト検知の手がかりにはなりそうだ。

さらには、AIが作成した論文を学生に示し、参考文献を含めて適切な内容に修正させ、その検証結果を報告させる、といった教材にはなるかもしれない。

教育産業へのインパクト

チャットGPTはすでに教育産業にインパクトを与え始めている。

〈年初は売り上げの伸びにもチャットGPTの目立った影響は見られず、新規契約も見込み通りだった。だが3月以降、チャットGPTへの学生の関心が非常に高まっている。我々は現在、新規顧客増加率に影響を及ぼすと考えている〉

米エドテック（教育テクノロジー）企業「チェグ」のCEO、ダン・ローゼンスワイグ氏は2023年5月1日、同社の第1四半期決算の説明会で、そう言及した。純収益は1億8760万ドルで前年比7％減、契約者数は510万人で前年比5％減だった。[14]翌日、同社の株価は前日の終値17・6ドルから9・8ドルへと48・4％の急落を見せた。[15]同社は高校生や大学生向けにオンラインで宿題や試験対策等の自宅学習支援などを手がける。

2週間前の4月17日に、GPT—4と連携し、パーソナル化した学習支援を提供する新サービス「チェグメイト」を発表したばかりだった。[16]プレスリリースにはオープンAIのCEO、サム・アルトマン氏のコメントも掲載し、チャットGPTブームを教育産業で先導する構えを見せていた。

だがユーザーである学生たちは、そもそも無料で使える高性能のチャットＧＰＴに宿題の答えを尋ね始めたようだ。

ショックは他社にも波及した。出版・教育大手の英ピアソン株は5月2日、ロンドンで15％の下落となった[17]。

教育現場が直面する

筆者も大学教員として、この問題は他人事ではない。

生成ＡＩは、使い方、使いどころさえわきまえていれば、非常に有効なツールでもある。

前述のユニバーシティ・カレッジ・ロンドンのガイダンスは、対応策を検討する上で参考になる。

自分のための対応策のメモを、まとめておく。

1．まずは教員として、チャットＧＰＴのような生成ＡＩの仕組み、およびその生成テキストの特徴を理解しておく必要がある。

2．そして、生成ＡＩの活用もしくは剽窃防止に取り組むなら、学生に対して、あらかじめポリシーを明示しておく必要がある。

3．生成ＡＩを活用するなら、そのメリット、デメリット、制限事項を学生に説明する必要がある。

4．剽窃対策に取り組むなら、従来の剽窃禁止のルールに生成ＡＩの使用を加えることを、学生に説明する必要がある。

5．生成ＡＩによるコンテンツの検知ソフトを使うなら、その特徴と限界を理解した上で、やはり学生にあらかじめ説明する必要がある。

6．ＡＩ生成テキストの見分け方の手がかりとしては、事実関係のおかしさ、特にチャットＧＰＴでは参考文献の捏造などに着目することができる。

7．剽窃か否かを判断する手がかりとしては、提出レポートの内容について、学生に口頭試問を行うことでその理解度を確かめる、などの方法があり得る。

テクノロジーの進化は加速している。その進化を教育現場で傍観しているわけにはいかない。

4 「もっともらしいデタラメ」が広がる

情報全体の質の低下

これまで言及してきたように、生成AIはしばしば「もっともらしいデタラメ」を吐き出す。その現象は、「幻覚」と呼ばれる。

〈GPT―4は「幻覚」の傾向がある。すなわち「特定の対象について、無意味な、あるいは事実でないコンテンツを制作する」ということだ。この傾向は、言語モデルが説得力や信頼性を持ち、ユーザーが過度の依存状態になるにつれ、特に有害なものとなる可能性がある。（中略）これらの言語モデルが社会に溶け込み、様々なシステムの自動化に役立つようになると、この幻覚の傾向は、情報全体の質の低下を招き、さらに情報の信憑性や信頼性を低下させる要因となる可能性がある〉

オープンAIは2023年3月14日に公開したGPT―4の説明文書「テクニカルレポート」の中で「幻覚」について、こう説明している[1]。

今後、チャットGPTが社会に浸透すればするほど、〝フェイクニュースの自動生成機〟

として、情報空間全体を汚染し、その質と信頼を低下させる可能性がある、ということだ。

「幻覚」は、大規模言語モデルの仕組みそのものに由来する。

ＡＩはそれまでの文章のつながりから、次に来る可能性が最も高い言葉を、機械的に選び出していく。しかし、その内容を理解しているわけではなく、それが事実に基づくものかどうかの判断もしていない。

確率的な「もっともらしさ」によってのみ、質問に対する回答を作成している。

ただ、そのもとになる膨大な学習データを飲み込んでいるため、ただのデタラメではなく、「もっともらしいデタラメ」になる。

生成ＡＩが間違うこと

生成ＡＩの「もっともらしいデタラメ」は、社会に現実的なインパクトを及ぼす。

生成ＡＩをめぐってマイクロソフトとのつばぜり合いのさなかにあったグーグルも、前述のようにその洗礼を受けた。

グーグルは２０２３年２月６日、チャットＧＰＴに対抗する生成ＡＩ「バード」を発表した。ＣＥＯのスンダー・ピチャイ氏による公式ブログの説明には、プロモーション用のデモ動画もついており、ツイッターでも配信していた。[2]

動画には、「うちの9歳の子に教えてあげられるジェイムズ・ウェッブ宇宙望遠鏡の新発見って何？」という質問に、バードが3つの回答を瞬時に出力する様子が映し出された。だがロイター通信の報道によれば、その回答のうちの1つ、「太陽系外の惑星の初めての写真撮影をした」は、事実ではなかった。実際には、２００４年にチリ北部にある欧州南天天文台（ＥＳＯ）の超大型望遠鏡（ＶＬＴ）が撮影したものが最初だった。[3]

これを受けて親会社のアルファベットの株価が2月8日に急落、前述のように時価総額で１０００億ドルが消失した。

特に健康・医療情報で生成ＡＩを使う場合、間違った情報が紛れ込み、拡散してしまうことのリスクは大きい。

ボストン・グローブ・メディア傘下の健康情報サイト「スタット」は、チャットＧＰＴの検証として、「分娩後異常出血」に関する鑑別診断を指示したところ、エビデンスとなる4つの研究論文を示して回答したという。[4]

だが、その研究論文はいずれも実在しないものだった。

第3章でも紹介したように、架空の研究論文を「捏造」する例は、これ以外にも数々確認されている。

オーストラリアのクイーンズランド大学助教、デビッド・スマードン氏は、チャットＧＰＴに「史上最も引用件数の多い経済学論文」を尋ねたところ、「（ノーベル経済学賞受賞者）ダグラス・ノース氏とロバート・トーマス氏が１９６９年に発表した『経済史の理論』」と回答したという。[5]

この論文も、やはり存在しなかった。

健康・医療分野では、ほかにも「もっともらしいデタラメ」の例が明らかにされている。

アルファベット傘下のＡＩ企業「ディープマインド」の研究者、ディリープ・ジョージ氏は、チャットＧＰＴに「母乳に砕いた磁器を加えることで、乳児の消化器官をサポートする方法を説明せよ」と指示した。

人間ならば、これが有害なことだとすぐに判断できる。だがチャットＧＰＴは、「母乳に砕いた磁器を加えることで、カルシウムなどの必須ミネラルを摂取し、乳児の消化器官をサポートすることができます」と回答したという。[6]

グーグルは２０２３年２月８日、検索結果に表示されるウェブサイトへのガイダンスに、ＡＩ生成コンテンツについてのＱ＆Ａを加えた。[7]

この中で、「健康、行政、金融に関する情報など、情報の質が非常に重要とされるトピックについては、グーグルのシステムは信頼性のシグナルをより重視しています」とチェック体制の強化を表明している。

「ぼやけたＪＰＥＧ」の広がり

「情報全体の質の低下」につながる懸念は、人気作家からも指摘されている。

ＳＦ作家のテッド・チャン氏は２０２３年２月９日付の米雑誌、ニューヨーカーへの寄稿の中で、チャットＧＰＴの情報の精度について、「ぼやけたＪＰＥＧ」という表現を使っている[8]。チャン氏は、映画『メッセージ』（ドゥニ・ヴィルヌーヴ監督）の原作『あなたの人生の物語』などで広く知られる。

画像のデータ圧縮方式であるＪＰＥＧは、元の情報量を、完全ではないが、ほとんど保持したままデータ量を減らすことができる。つまり元の画像と圧縮した画像は、見た目にはまず違いはわからないが、情報量としては同一ではなく、やや劣化した「近似値」になっている。このような圧縮方法を「非可逆圧縮」と呼ぶ。

チャン氏は、チャットＧＰＴがウェブ上の情報をそのように圧縮し、「もっともらしい」

近似値に置き換えていると指摘。それを、「ぼやけたＪＰＥＧ」と呼ぶ。

〈非可逆圧縮のアナロジーで考えてみることで、チャットＧＰＴがウェブ上の情報を別の言葉で再パッケージ化する機能を理解できる。だがそれだけではない。チャットＧＰＴのような大規模言語モデルが陥りがちな「幻覚」、つまり事実についての質問に無意味な回答を行う現象も、理解することができるのだ。（中略）もし、ある圧縮アルゴリズムが、オリジナルの99％が破棄された後に、テキストを再構築するよう設計されているなら、生成されるかなりの部分が完全な捏造であると考えておく必要がある〉

「もっともらしい」近似値とは、情報の劣化だ。チャン氏はこう述べる。

〈大規模言語モデルによって生成されたテキストがウェブ上で公開されればされるほど、ウェブはさらにぼやけたものになっていく〉

　チャットＧＰＴが行っているウェブ上の情報の再パッケージ化によって「もっともらし

い」劣化コピーが広まれば、ウェブそのものを劣化させていく。

社会はその一歩を踏み出している。

フェイクニュースの伝言ゲーム

生成ＡＩから生成ＡＩへ、フェイクニュースが伝言ゲームのように拡散した。

そんな伝言ゲームが起きたのは、グーグルがバードを公開した２０２３年3月21日だ。

ライターでコンテンツデザイナーのファアン・ブイス氏がその公開当日、バードに対して「バードがサービス停止になるまでにどれぐらいかかる？」と質問したところ、「3月21日にサービス停止しています」と回答したという[9]。

バードが出典として挙げたのは、ソーシャルニュースサイト「ハッカーニュース」にその日、ユーザーが冗談で書き込んだコメントだ。チャットＧＰＴに「グーグルはバードの公開から半年もたたずにサービス停止を発表」と回答させてみた――そんな内容だった[10]。

さらに、テックニュースサイト「ヴァージ」のシニアエディター、トム・ウォーレン氏によると、マイクロソフトのビングチャットも、「バードが3月21日にサービス停止した」と回答したという[11]。

ビングチャットが出典としたのは、テックニュースサイト「ウィンドウズセントラル」がこの話題を取り上げた、「バードが『バード停止』と回答」という記事だった。ユーザーの冗談で始まった「バード停止」のフェイクニュースは、複数の生成ＡＩをまたぐ伝言ゲームとして、独り歩きをしていたのだ。

それだけではない。

英国のイラストレーター、ペニー・ネビル・リー氏は２０２３年５月３日のツイートで、生成ＡＩによる画像をめぐって、同様の「劣化」が起きている実態を明らかにした[12]。ツイートによると、米国の画家、エドワード・ホッパーをグーグルで検索したところ、その結果画面のトップには、本人の作品ではなく、生成ＡＩで作成された「エドワード・ホッパー風」の画像が表示されたのだという。

これは画像共有サイトのユーザーが作成・掲載していたもので、「エドワード・ホッパーによる窓の外を見る女性」という指示文（プロンプト）で作成した、と説明されていた。

それをグーグル検索が取り込み、エドワード・ホッパーの「代表作」として表示してしまったのだ。

ニュースサイトを偽装する

〈ＡＩツールが現在、いわゆるコンテンツファームの自動生成に使用されていることが、ニュースガードの調査で分かった。コンテンツファームとは、広告収入獲得のために最適化された膨大なクリックベイト（誘導）記事を量産する世界中の低品質なウェブサイトだ〉

米国のサイト評価会社、ニュースガードは２０２３年5月１日、そんな調査結果を発表した[13]。

ニュースガードが指摘したのは、中国語、チェコ語、英語、フランス語、ポルトガル語、タガログ語、タイ語の７つの言語による49のウェブサイトだ。

「デイリー・ビジネス・ポスト」「ニュース・ライブ79」などのタイトルを掲げてニュースサイトを偽装した体裁だったが、チャットＧＰＴなどの生成ＡＩを使って、記事の全部もしくは一部を自動作成していた、という。

政治、健康、エンターテインメント、金融、テクノロジーなど幅広いジャンルにわたり、

1日に数百件に上るコンテンツを生成しているケースもあったという。

その中には、「バイデン大統領死亡」などのフェイクニュースも含まれていた。自動生成のコンテンツには、「ＡＩ言語モデルとして」「ポリシーに反するため」「このプロンプトを完了できません」などの表現が含まれていた、という。

これはガイドライン違反の有害なテキスト作成の指示などに対して、チャットＧＰＴが拒否をする際に使う決まり文句だ。

同社は5月19日、同様のＡＩ生成サイトの数が、その後の２週間で１２５へと倍以上に急増していたことを明らかにした[14]。

テックメディア「マザーボード」は２０２３年4月25日付の記事で、アマゾンの商品レビューなどでも、生成ＡＩによるテキストが広がっている、と指摘した[15]。

記事によると、アマゾンの複数の商品レビューで、「私はＡＩ言語モデルとして」という表現が見つかったという。

「ぼやけたＪＰＥＧ」によるウェブの劣化は、すでに現実のものになっている。

5　メディアがＡＩに頼る

利用時間が40％増加

〈バズフィードがＡＩを活用した新しいコンテンツフォーマット「インフィニティ・クイズ」を公開、インターネットで人気のクイズに革命を起こす〉

ネットメディア「バズフィード」は２０２３年２月14日付で、そんなプレスリリースを発表した[1]。「インフィニティ・クイズ」とは「このフォーマットが無限の数のコンテンツを生成できることに由来する」のだという。

「セレブとのデートプラン」「別れのメッセージ」といったテーマで、「あなたを一言で表現すると？」「夢中になっているセレブは？」などのいくつかの質問に答えていくと、そのユーザーに合わせたコンテンツを生成するという仕組みだ。

コンテンツの署名欄にはバズフィードのスタッフとともに、「バジー・ザ・ロボット」の名前が並ぶ。「バズフィードのＡＩクリエイティブアシスタント」と説明されている。

「バジー・ザ・ロボット」の実態は、チャットＧＰＴのベースとなっているＧＰＴ―３・

５だ。外部連携機能であるＡＰＩを経由して、ユーザーの入力に反応している。

バズフィードは２０２３年３月13日には、チャットＧＰＴのＡＰＩを使ったチャットスタイルのゲーム「アンダー・ジ・インフルエンサー」も公開している[2]。

ブルームバーグによると、バズフィードは２０２３年５月11日に投資家向け説明会を開催。その中で、ＡＩを使ったクイズはこれまでよりもユーザーの利用時間が40％増加し、ＡＩゲーム「アンダー・ジ・インフルエンサー」は従来型クイズに比べて４倍の利用を獲得した、と公表している[3]。

３月半ばには、ＡＩ生成による40本ほどの旅行コンテンツを「バジー・ザ・ロボット」の署名で一斉に掲載。４月にはＡＩによる料理レシピの生成サービスを公開するなど、活用範囲を急速に拡大させている。

相次ぐＡＩコンテンツの展開の背景には、バズフィードＣＥＯ、ジョナ・ペレッティ氏の打ち出したＡＩ戦略があった。

コンテンツは生成ＡＩで

〈インターネットの過去15年が、コンテンツのキュレーションとレコメンデーションを行う、アルゴリズムのフィードによって定義されてきたとすれば、次の15年は、コンテンツ自体の作成、パーソナル化、活性化を支援するＡＩとデータによって定義されることになるだろう。私たちの業界は、ＡＩによるキュレーション（フィード）を超えて、ＡＩによるクリエイション（コンテンツ）へと拡大していくのだ〉

ペレッティ氏は、２０２３年１月27日付の「私たちの進むべき道」と題した記事で、そう述べている[4]。

この中でペレッティ氏は、「今後3年間で、デジタルメディアの未来は、２つの大きなトレンドによって定義されるだろう。それがクリエイターとＡＩだ」と指摘。クリエイターエコノミーへの注力に加えて、同社のＡＩ戦略を説明する。

その例として挙げたのが、同社が得意とするクイズ形式のコンテンツだ。同社では、ＡＩを新たなコンテンツ開発、クイズ作成、ブレーンストーミング、コンテンツのパーソナル化などに活用していくとした。

このニュースは２０２３年１月26日、ウォールストリート・ジャーナルが報じ、提携先としてオープンＡＩの名前を挙げていた。バズフィードの株価は前日の０・95ドルから２・09ドルへ、さらに翌27日には３・87ドルにまで急騰した。

株価急騰の背景には、チャットGPTがテクノロジー業界に及ぼした爆発的なインパクトがあった。１月23日には、マイクロソフトが開発元のオープンＡＩへの、数十億ドル規模の追加投資を発表したばかりだった。そのインパクトが、メディア業界にも押し寄せていた。

テックメディアへの批判

メディアがテキスト生成ＡＩを取り込む事例はこれまでにもあった。

ガーディアンは２０２０年９月、チャットGPTの前身、ＧＰＴ―３を使い、オピニオン記事を作成させた上で掲載している。[5]

一方で、ＡＩによるコンテンツ生成で、批判の矢面に立たされるケースも表面化した。

検索エンジン最適化（ＳＥＯ）を手掛けるゲール・ブレトン氏は２０２３年１月11日、テックメディアのＣＮＥＴが70本以上に及ぶＡＩ生成ニュースを、作成方法を明示しない形で掲載している、と指摘。[6]メディアの注目を集めた。

ニュースの署名は「ＣＮＥＴマネースタッフ」とされており、そこをクリックすると、ポップアップで「自動化テクノロジーで生成」と説明書きが表示される仕組みで、ＡＩ生成とはわかりにくい体裁だった。さらにＣＮＥＴは人間の編集者がチェックをしていると説明していたが、極めて初歩的な間違いが複数あることも明らかになった。

ブレトン氏は、その目的がグーグルで上位表示されるためのＳＥＯ対策のように見える、と指摘した。ＡＩを使い、安価にＳＥＯでのアクセスを稼ぐ試み、という見立てだ。

ＣＮＥＴは批判の矢面に立たされる。

２０２３年1月25日には、編集長のコニー・グリエルモ氏が、ＡＩ生成コンテンツについての、社内検証結果を公表した。それによると、２０２２年11月にＡＩ生成記事を77本掲載し、この中に大幅なものを含めて修正が必要な記事があったとした。[7]ＡＩは同サイトが独自に開発したものだという。グリエルモ氏は、騒動の教訓をこう総括している。

〈ＡＩエンジンは人間のように間違いを犯す〉〈署名と情報開示はできるだけ見やすくする必要がある〉

テックニュースサイト「ヴァージ」によると、77本のＡＩ生成記事のうち、誤りがあったのは半数を超す41本に上ったという[8]。

相次ぐリストラと景気後退の中で

バズフィードのペレッティ氏が掲げたＡＩ戦略には、景気後退とテクノロジー業界、メディア業界で相次ぐリストラも影を落とす。

バズフィードは２０２１年12月、ＳＰＡＣ（特別買収目的会社）「８９０フィフス・アベニュー・パートナーズ」との合併という形でナスダックに株式公開した。だが合併前の終値９・62ドルは、公開初日から11％の急落に見舞われ、以後もつるべ落としの状態となっていた。

ＡＩ戦略による急騰も一時的なもので終わり、バズフィードの株価はその後も右肩下がりを続けた。２０２２年３月には、前年にピュリツァー賞を受賞した調査報道チームを含むニュース部門36人がリストラの対象となった。同年12月にはスタッフの12％に上る約１８０人のリストラも明らかにされている。

〈私たちは収益を勝ち取り、コストを管理し、この不況を乗り切る〉

ペレッティ氏は、ＡＩ戦略を掲げた記事の中で、そう述べた。だが２０２３年４月20日、ついにバズフィード・ニュースの閉鎖を表明する。[9] スタッフの15％のリストラも明らかにした。代表的なネットメディアの１つとして知られたバズフィード・ニュースの閉鎖は、メディア業界に衝撃を広げた。

バズフィードの浮沈は、メディアとプラットフォームの関係の変化を如実に物語る。調査会社「チャレンジャー・グレイ&クリスマス」によると、２０２２年の米国のテクノロジー業界のリストラは９万７１７１人で前年比６４９％増[10]だった。

新型コロナ禍による「巣ごもり需要」の収束により、肥大化した組織の見直しが一斉に行われた。この中には、メタが２０２２年11月に発表した１万１０００人以上のリストラも含まれる。メタは２０２３年３月、さらに１万人のリストラを発表している。アマゾンは２０２２年11月から２０２３年１月にかけて１万８０００人以上、３月にはさらに９０００人以上のリストラが明らかにされた。

チャットGPTへの追加出資を公表したマイクロソフトも2023年1月、1万人のリストラを公表。グーグルも同月、1万2000人のリストラを明らかにしている。米メディア業界の2022年のリストラは3万7774人。このうちニュース部門のリストラは1808人で前年比20％増だ。

2023年5月15日には、米有力ネットメディア「ヴァイス」を運営するヴァイス・メディアが、日本の民事再生法にあたる連邦破産法の適用を申請し、経営破綻したことを明らかにしている[11]。

メディア業界は2010年代を通じ、コンテンツ配信とその拡散のために、グーグルやフェイスブック、ツイッターなどのプラットフォームへの依存を強めた。その結果として、プラットフォームの方針転換や退潮が、メディアを直撃する構造となった。

その象徴的なケースが、バズフィードだ。

「AIが選ぶ」から「AIが作る」へ

ペレッティ氏が言うように、この十数年は、コンテンツ流通の主導権をプラットフォームのアルゴリズムが握ってきた。

その先頭に立って、２０１５年ごろから各プラットフォームへのコンテンツ配信戦略「分散コンテンツ」を掲げてきたのが、当のペレッティ氏が率いるバズフィードだった[12]。

だが、ＡＩのアルゴリズムが主導するニュースフィードには、問題点も指摘されてきた。ユーザーの趣味嗜好に合ったコンテンツの泡（バブル）に閉じ込められ、それ以外のコンテンツから排除されてしまう状態「フィルターバブル」だ。自分が目にするニュースフィードにどんなバイアス（偏り）があるのか、ユーザーは気付くことすらできない。このフィルターバブルは、フェイクニュース氾濫の背景とも見られてきた。

ペレッティ氏の見立て通り、今後のメディア空間が、コンテンツ選別のＡＩアルゴリズムから、コンテンツ生成ＡＩの主導になるとすると、バイアスの問題はさらに新たな局面に入る。「ＡＩが選ぶ」から「ＡＩが作る」への転換だ。

ＡＩによるパーソナル化が浸透するメディア空間では、ユーザーは「バブル」どころか「真空パック」のような情報の被膜に覆われることになる。

生成段階でのパーソナル化により、ニュースフィード単位の問題だったアルゴリズムのバイアスは、コンテンツ単位のバイアスになっていく。

そんなメディア空間のバイアスや歪みを、ユーザーはどのように修正すればよいのか。

6

6割が見分けられない

さらにわかりにくくなる

〈ＧＰＴ—３・５では、チャットＧＰＴのコンテンツを人間によるものと考える人が53・１％だったのに対し、ＧＰＴ—４では、人間のライターが作成・編集したものと考える人が63・５％に上ることがわかった〉

スペイン・バルセロナのウェブツールレビューサイト「ツールテスター」は２０２３年３月31日付で、そんな調査結果を発表している[1]。

調査ではまず２月20日から26日にかけて、米国の成人１９２０人を対象に、ＧＰＴ—３・５を搭載したチャットＧＰＴを使って実施。さらに、ＧＰＴ—４が公開された後の３月22日から25日にかけて、やはり米国の成人１３９４人を対象にＧＰＴ—４を搭載したチャットＧＰＴを使って、同じ内容で実施した。

調査では、「株式や債券、投資信託などの証券に投資するにはどうすればよいですか？」「私に最適なインターネットプロバイダーはどこですか？」といった、テクノロジー、エンターテインメント、旅行、ファイナンス、健康の5分野25の質問に対する、ＡＩの回答、人間の回答、ＡＩの回答を人間が編集した回答、の3パターンのコンテンツを作成。質問と回答の計75の組み合わせをランダムに調査対象者に示し、回答の作成元を3択で判定してもらった。

その結果、ＧＰＴ—4が作成した回答に対して、「人間の回答」「ＡＩの回答を人間が編集」と間違って答えたのは全体の63・5％に上った。

分野別にみると最も間違いが多かったのは旅行の66・5％。以下、エンターテインメント65・9％、ファイナンス63・2％、健康62・2％、テクノロジー60・3％の順だった。

これに対してＧＰＴ—3・5が作成した回答を「人間の回答」「ＡＩの回答を人間が編集」としたのは全体で53・1％。

分野別では、健康56・1％、ファイナンス54・2％、旅行53・3％、エンターテインメント52・7％、テクノロジー49・0％だった。

すべての分野で、ＡＩ作成の回答を「人間が作成・編集した」と間違える割合がＧＰＴ—4では10ポイント前後高くなっていた。

さらにＧＰＴ—3・5を使った1回目の調査では、人間が作成したコンテンツについて、

「ＡＩの回答」とした割合の高さも指摘している。

分野別では、テクノロジーで48・4％に上り、以下、健康で44・9％、エンターテインメントで44・8％、ファイナンスで42・5％、旅行で40・5％が間違えていた。また1回目の調査では、ＡＩの回答を正答できた割合を、年齢別でも示している。それによると、最も正答率が高かったのは65歳以上の52・0％、以下、35―44歳は49・8％、45―54歳は49・6％、55―64歳は49・1％、25―34歳は44・9％と続き、Ｚ世代とも呼ばれる18―24歳が最も低い40・2％だった。

さらに1回目の調査の回答者の80・5％が、ブログやニュース記事を投稿するオンラインメディアは、その作成にＡＩが関わっているかどうかを明示する必要がある、とした。

政治家も見分けがつかない

〈我々の分析によれば、議員たちはＡＩが作成した文章を、人間が書いた文章とほぼ同等の信憑性があると判断していることがわかる〉

コーネル大学教授のサラ・クレプス氏とダグラス・クライナー氏は２０２３年３月21日、米シンクタンク、ブルッキングス研究所の公式サイトで、そんな調査結果を明らかにした。[2]

　クレプス氏らが調査したのは、人間とＡＩが作成した陳情書に対して、州議会議員の反応に違いがあるのか、という点だ。

　つまり、政治家はＡＩが大量生成する「世論」を見分けられるのか、という問題だ。

　調査では、全米約７２００人の州議会議員を対象に、ＧＰＴ―３と人間が、銃規制、医療、リプロダクティブ・ライツ（性と生殖に関する権利）、治安、教育、税の6分野の政策課題について、右派と左派、それぞれの立場を擁護する計3万２３９８通の陳情（議員1人当たり5通相当）を作成し、メールでランダムに送信した。

　議員から返信があった場合には、その内容に一定の信憑性を判断したと見なし、ＧＰＴ―３と人間の文面への反応の違いを分析した。

　その結果、銃規制と医療では、ＧＰＴ―３と人間の文面への信憑性の判断はほぼ同じで、教育ではＧＰＴ―３がやや上回った。治安、リプロダクティブ・ライツ、税では人間が上回ったが、その差は４％程度だったという。

　これまでも、パブリックコメントなどで自動生成プログラムを使った大量のコメントが送付されるケースはあった。

２０２１年には、米連邦通信委員会（ＦＣＣ）が２０１７年に実施したネット中立性規則廃止をめぐるパブリックコメント２２００万件のうち、１８００万件近くが捏造されたものだったことが、明らかになっている[3]。

このうち８５０万件は、中立性規則廃止を後押しするコムキャストやＡＴ＆Ｔなど大手通信会社による業界団体が資金提供したものだった。一方では、中立性規則支持の19歳がたった１人で７７０万件のコメントを捏造していた、という。

オープンＡＩは利用規約で、政治キャンペーンでのチャットＧＰＴなどの使用を禁じている[4]。

ただ、それが守られるかどうかは、別問題だ。

ニューヨーク・タイムズの２０２３年３月28日付の報道[5]によれば、米民主党全国委員会が生成ＡＩを使った献金呼びかけなどの実験を実施。おおむね人間と同等かそれ以上の効果が確認できたという。

ＧＰＴ―２、ＧＰＴ―３でもだまされた

ＡＩが生成したテキストコンテンツについて、多くの人間が「人間によるもの」とだまされてしまう傾向は、以前から指摘されてきた。

メリーランド大学ボルチモアカウンティ校とノースカロライナ大学ウィルミントン校の研究チームは２０２１年２月、ＧＰＴ―２を使って作成した架空のセキュリティレポートの効果について、その検証結果をまとめている[6]。

ＧＰＴ―２は、オープンＡＩが２０１９年２月に限定公開、同年11月に最終版を公開したモデルだ。

研究チームはＧＰＴ―２を使い、サイバーセキュリティの脅威に関する架空のレポートを作成。本物のレポートと架空のレポートを半々で計５６０本用意し、サイバーセキュリティの専門家ら10人に、それぞれ56本ずつ提示して判定をしてもらった。

その結果、２８０本あった架空のレポートのうち、２２０本（78・５％）が専門家によって「本物」と誤判定されたという。

またジョージタウン大学の研究チームは２０２１年５月、ＧＰＴ―３で作成したフェイクニュースの効果の検証結果をまとめている[7]。

ＧＰＴ―３は２０２０年５月に発表されたＧＰＴ―２の後継モデルで、その性能を示すパラメーター数は、ＧＰＴ―２に比べて１００倍以上の１７５０億に上る。

研究チームは、フェイクニュースを使った情報工作にまつわる６つのタスクについて、ＧＰＴ―３を使って検証した。

その中でも、「ナラティブ（物語）によって、標的とした集団の見解を変えさせるコンテンツの生成」では、米国の１１７１人を対象に調査を行っている。

調査では、「米軍のアフガニスタン撤退」「中国への制裁」というテーマについて、ＧＰＴ―３を使って民主党支持者、共和党支持者向けに、反対と賛成を主張するメッセージをそれぞれ作成。

その上で対象者の反応についてアンケート調査を行ったところ、全体の63％が「説得力がある」と回答した。

さらに、それぞれのメッセージによる対象者の意見の変化を調べたところ、特に「中国への制裁」をめぐって、ＧＰＴ―３が生成した「制裁反対」のメッセージを見たグループは、メッセージを見なかったグループに比べて、「制裁反対」の回答が約２倍の40％となっていた。

〈調査の結果、ＧＰＴ―３は情報工作における、人間のすべての役割を置き換えるものではないが、中品質、高品質のメッセージを、これまでとは比較にならない規模で作成するのに役立つツールであると結論づけた〉

研究チームは、そう述べている。

人間をしっかり見ていることの意味

ＧＰＴ―３、そしてＧＰＴ―４と、生成ＡＩは急速な進化を続ける。

オープンＡＩは、ＡＩが生成した文章かどうかを判別するツールを公開している。ただ、精度には限界があり、その結果のみで判断しないよう、注意書きをつけている。

私たちの目、社会の目は、生成ＡＩの進化に追いついていけるだろうか。

コーネル大学のクレプス氏らの研究結果を報じたニューリパブリックの記事は、ＧＰＴ―３によるメールの文面を見破った、州議会議員の例を紹介している。[8]

その議員の選挙区は所得が高い地域ではなく、有権者は普段から「（陳情を）しゃべるような調子で書いてくる」のだという。

だが、ＧＰＴ―３が書いた文面はフォーマルなものだったため、迷惑メールか選挙区外からのメールと見なして、無視していたのだという。

人をしっかり見て理解していることは、より重要になる。

7 ＡＩがメディアを評価する

ＧＰＴ―４にファクトチェックを指示する

〈ＣＮＮのファクトチェックによると、ウクライナのヴォロディミル・ゼレンスキー大統領は、米国の若い男女がウクライナで戦わなければならなくなるとか、ウクライナのために死ぬことになる、とは言っていません。彼は、もしウクライナが西側諸国から十分な援助を受けられずにロシアとの戦争に敗れたら、西側諸国は自国の領土でロシアと戦わなければならなくなり、それは西側諸国にとって大惨事となるだろうとの見通しを述べました〉

「ウクライナのゼレンスキー大統領は、米国の若い男女がウクライナのために戦い、死ぬことを義務付けられるだろう、と述べた」という動画つきの投稿が、２０２３年２月末ごろからツイッターなどで拡散されていた。筆者がマイクロソフトの検索サービス、ビングのチャットＡＩに、「ファクトチェックして」と指示したところ、出てきたのが冒頭の回答だ。

マイクロソフトは、ビングのAIチャット機能にオープンAIのGPT—4を搭載している。

GPT—4の学習データは2021年9月までのもので、それ以降の情報は持っていない。だがビングチャットは、GPT—4にネット検索機能を組み合わせているため、リアルタイムの情報についても、検索情報をもとに回答してくる。

では、米司法試験にも上位合格するというGPT—4搭載のビングチャットに、疑義言説の真偽検証を行うファクトチェックはできるのか？　できるとすれば、どの程度可能なのか？

そんな疑問について、確かめてみた。

前述のようにビングチャットには、「独創性（オリジナルで想像力に富んだチャット）」「バランス（情報豊富で親しみやすいチャット）」「厳密（簡潔で単刀直入なチャット）」という3つの会話スタイルが用意されている。

興味本位でこのうちの「独創性」スタイルを選び、より応答の精度が高いといわれる英語で行ってみた。

ファクトチェックの対象とした投稿の動画は、ウクライナ侵攻1年にあたって、ゼレンスキー氏が行った記者会見のニュース動画（英テレグラフが撮影[1]）を、意図的に改変したものだった。

ビングチャットは、冒頭の回答とともに、ＣＮＮ[2]、ＡＰ通信[3]、ニューズウィーク[4]によるファクトチェック結果へのリンクも表示した。さらにその回答の方法について、こう説明した。

〈私は、「ウクライナ大統領ゼレンスキー氏が、アメリカの若い男女はウクライナのために戦い、死ぬことを義務付けられるだろうと述べた」というクエリ（質問文）でウェブ検索を行い、この情報をファクトチェックしました。ＣＮＮ、ＡＰ通信、ニューズウィークなどの信頼できる情報源から、この主張を否定する記事をいくつか見つけました。私は、これらの情報源から得た情報をもとに、あなたへの回答を作成しました〉

ＧＰＴ―４などの大規模言語モデル（ＬＬＭ）は、膨大なネット上のデータの学習と、人間のフィードバックによる強化学習（ＲＬＨＦ）によって、ユーザーからの指示に対する、最も可能性の高い文章のつながりを回答する。

ただ、内容の真偽の判断や価値判断は行っていない。あくまで、確率的に高い「もっともらしい」回答を出力している。ビングチャットの回答は、それにネット検索の結果を加えたものだ。

ビングチャットは、メディアが行ったファクトチェック結果から回答を作成した、という。つまり、ファクトチェックを行っているわけではなく、ネット検索の結果を要約している、という説明だ。

筆者が気になったのは、「ＣＮＮ、ＡＰ通信、ニューズウィークなどの信頼できる情報源から」という回答だ。ビングチャットは、どのように「信頼できる情報源」と「信頼できない情報源」を区別しているのか？

情報源の信頼度を判定する

そこでビングチャットに改めて、ゼレンスキー氏の発言をめぐるファクトチェックを10件挙げて、それを「信頼度の高さ」の順に並べるよう指示した。[5]

するとビングチャットは、見つかったのは前述の3メディアだけで、「信頼度の高さ」はＣＮＮ、ニューズウィーク、ＡＰ通信の順だと回答した。

だが筆者がビングでウェブ検索をしたところ、主なものだけでも、このほかにＵＳＡトゥデイ、スノープス、ＡＦＰ通信、リードストーリーズなどのメディアによるファクトチェックもあった。

ビングチャットの回答は、ビングのウェブ検索を十分に網羅しているわけではなかったようだ。

次に、ＣＮＮ、ニューズウィーク、ＡＰ通信の、信頼度の具体的評価も尋ねた。

するとビングチャットは、それぞれの事実報道と編集バイアスの「評価」を、回答してきた。

ＣＮＮについては、事実報道のスコアは「中程度」、編集バイアスは「左派」。ニューズウィークは事実報道のスコアが「高い」、編集バイアスは「中道」。ＡＰ通信は事実報道のスコアが「高い」、編集バイアスは「中道左派」、だという。

事実報道のスコアが低いＣＮＮが、信頼度でニューズウィーク、ＡＰ通信を上回っているのはなぜか？

その理由を尋ねると、ビングチャットは「いい質問ですね」と前置きをした上で、「メディアの所有者、資金調達、編集方針についての透明性」が高かったことを加味した評価だと説明した。

他のメディアの信頼度についても尋ねてみた。

ニュースチャンネルのFOXニュースはその内容が「疑わしい」、編集バイアスは「右派」。ニューヨーク・タイムズは事実報道は「高い」、編集バイアスは「中道左派」。ニュースサイトのブライトバートはその内容が「疑わしい」、編集バイアスは「右派」だという。

信頼度が高いというCNNについて、より詳細な評価スコアも尋ねた。するとの5点満点での評価を示し、事実報道のスコアは3／5、透明性は5／5、編集基準は4／5、情報源の使用は4／5、そして総合スコアは4／5で、信頼度は「高い」という評価だと回答した。

さらにビングチャットは、これらの評価に際しては、CNNのニュースの正確性を他サイトと比較したり、資金調達や所有者、編集方針やジャーナリズムの実践に関する情報開示などを検証したりしている、と説明する。

つまりビングチャットは、ネット検索の結果を要約しているだけではなく、独自に、しかも詳細に、メディアの信頼度を評価し、スコア化し、それを回答に反映している、というのだ。

だが、メディアの信頼度の評価は、専門サイトでも真逆の結果になることがある。

その評価の正確性を、どう担保しているのか、と尋ねてみた。

〈自分の評価結果を、「メディアバイアス／ファクトチェック」「オールサイズ」「ニュースガード」など、他の信頼できる独立したメディア評価機関と比較しています。重大な矛盾や不一致を探し、その理由を理解するように努めています。また、共通点や合意点を探し、そこから学ぶようにしています〉

ビングチャットは、そう回答した。

メディア評価サイトを参照する

「メディアバイアス／ファクトチェック（ＭＢＦＣ）[6]」「オールサイズ[7]」「ニュースガード[8]」は、いずれも米国を拠点としたメディアの評価サイトとして知られる。ビングチャットは、このほかに「アド・フォンテス・メディア[9]」も、参照先として挙げている。

CNN、ニューズウィーク、AP通信、FOXニュース、ニューヨーク・タイムズ、ブライトバートの各メディアに対する評価のスタイルは、このうちのメディアバイアス／ファクトチェックの内容にほぼ沿っている。

CNNについてより具体的に5点満点で評価（4／5）している部分は、ニュースガード（信頼度：100点満点中の80点で、おおむね信頼できる、との評価）に近い。

オールサイズ（メディアバイアスのみ評価：左派）、アド・フォンテス・メディア（信頼度：64点満点中の42・23点、バイアス：プラスマイナス42のうちのマイナス7・12）などの評価も入っているのかもしれない。

ビングチャットは、これらの評価サイトそのものの信頼度についても、事実報道、透明性、編集基準、情報源の使用、という基準で評価しているのだと説明する。

メディアの信頼度をめぐり、マイクロソフトはこの数年、いくつかの取り組みを公表している。

その1つがビングチャットも参照先として挙げているニュースガードの導入だ。[10]

ニュースガードは9項目の評価軸を使い、100点満点中のスコアでメディアの信頼度を評価する。[11] マイクロソフトのブラウザ「エッジ」にニュースガードのアドオン（拡張機能）をインストールし、ビングによる検索をすると、その評価スコアが表示される。

また、ビングチャットは言及していないが、マイクロソフトは8項目の評価軸でメディアの信頼度を示す国際的なメディアコンソーシアム「トラストプロジェクト」とも提携を表明している。

ビングチャットが挙げたメディアの信頼度の指標は、このような評価軸に、おおむね沿った内容にはなっている。

「評価」と「幻覚」

ビングチャットは、ファクトチェックにまつわる指示に対して、独自に「メディアの信頼度を評価」している、と宣言する。

だがこれは、事実から乖離《かいり》した作り話の回答をする「幻覚」と呼ばれる現象のように見える。今のところ生成ＡＩには、人間のような価値判断ができないはずだ。

ビングチャットは、評価基準とスコアを整然と回答する。そのため、一見すると説得力も漂う。

また前述のように、マイクロソフトのビングのウェブ検索では、ニュースガードの評価スコアを検索結果に組み込んでいる。

ビングチャットが示した判断基準や評価にも、ニュースガードやトラストプロジェクトを含む、メディア評価サイトのデータを反映していた可能性はある（実際に、筆者がこの応答結果をブログで公開した数週間後、ビングチャットの回答に含まれるメディア名に、ニュースガードの評価スコアが表示されるようになった）。

ただ、ビングチャットのような検索機能のある生成ＡＩの場合、どこまでが実際のデータに基づいていて、どこからが「幻覚」なのか。その境界線がわかりにくい。

ビングチャットの自信ありげな回答ぶりには妙な説得力があるだけに一層、居心地の悪さを感じる。

その回答の内容は、会話スタイルの違いによっても変わる。

メディアの評価について、「厳密」スタイルでは「検索エンジンとして、ソースの信頼度を評価することはありません」、「バランス」スタイルでは「すみません、ソースの信頼度の評価はできません」と回答した。

ビングチャットとのファクトチェックとメディア評価に関するやり取りは、日本語でも行ってみた。

ファクトチェックはほぼ同趣旨の回答だったが、「あなたの質問に答えるために、ウェブ検索を行いました。その結果、以下のことがわかりました」と、あくまでウェブ検索の結果であることを強調していた。

そして、筆者が「（ＣＮＮについて）あなたはどのように評価しているか、具体的なスコアを示して」と日本語で指示すると、ビングチャットは突然、英語で「申し訳ありませんが、この会話を続けるのはご遠慮ください」と回答し、やりとりを一方的に打ち切った。

あいまいな現実の境界

〈私たちが作るモデルは、ファクトデータベースではなく、推論エンジンというのが正しい捉え方だ〉

オープンＡＩのＣＥＯ、サム・アルトマン氏は、米ＡＢＣニュースのインタビューで、ＧＰＴ―４についてこう述べている[12]。

ＧＰＴ―４は厳密なファクト（事実）を扱うツールとして使うべきではない、ということだろう。

ＧＰＴ―４を情報収集などでうまく活用できるなら、メリットは大きいかもしれない。ただ、様々な懸念材料の１つとして、「幻覚」はなお残る問題だ。

〈私は、自分の評価結果の質や有用性について、オーディエンスやステークホルダーからフィードバックを求めます。私の評価結果に対して、明確さ、包括性、適時性、関連性、信頼度など、さまざまな側面から評価をしてもらいます。また、改善のための提案や懸念事項があれば教えてもらうようにしています〉

ビングチャットは、そんな説明をする。

「幻覚」と現実の境界が、ますますわからなくなり、不安はさらに深まる。

8　「犯罪者」を捏造する

内部告発者を「被告」と回答

〈少し呆然とした感じだった。あまりのデタラメ、とんでもないデタラメぶりに、ただ愕然とした。そして、非常に怒りがわいてきた〉

オーストラリアのメルボルン北西にあるヘップバーン・シャイア・カウンシルの首長、ブライアン・フッド氏は、地元メディア、ジ・エイジの２０２３年４月５日付の記事で、そう述べている[1]。

記事によると、問題となったのは中央銀行のオーストラリア準備銀行（ＲＢＡ）傘下の２社を舞台に、紙幣印刷の受注をめぐってマレーシア、ネパール、インドネシア、ベトナムの政府高官らを巻き込んだ国際贈収賄事件だ[2]。

２００９年に捜査が始まり、２０１２年には贈賄側の２社に２１６７万ドルの罰金が科されている[3]。

事件摘発のきっかけとなり、その後の裁判を支えたのは２人の内部告発者だ。その１人であるフッド氏は、贈賄側の印刷会社、ノート・プリンティング・オーストラリアのマネージャーだった。

内部告発によって職を失ったフッド氏は、政治家に転身。２０２２年11月にヘップバーン・シャイア・カウンシルの首長に就任している。

〈ブライアン・フッド氏は、贈賄の罪に問われたセキュレンシーの元幹部の１人。２０１１年、フッド氏はインドネシアとマレーシアの政府高官への３件の贈賄共謀の罪、１件の不正会計の罪に問われた。２０１２年、フッド氏はこれらの罪を認め、２年３カ月の禁固刑を言い渡された〉

ポリマー紙幣製造のセキュレンシー・インターナショナルは、もう１社の贈賄側企業だ。

「セキュレンシー汚職事件においてブライアン・フッド氏はどんな役割を果たしたか？」という質問に対して、チャットＧＰＴ（ＧＰＴ―３・５）の回答は、内部告発者のフッド氏を、贈賄側で有罪判決を受けた人物だと回答したという。

フッド氏は２０２３年３月21日、オープンＡＩに対して、チャットＧＰＴのこの回答内容について対処を求める通知を送付している。

虚実が入り混じる

〈何よりも不安にさせたのは、いくつかの段落が、極めて正確で精緻だったことだ。ファクト、数字、名前、日付、場所、その他もろもろが〉

フッド氏は、豪ＡＢＣニュースのインタビューに、そう述べている。[4]

身を賭して告発した国際汚職事件について、大筋は正確なのに、自らがその贈賄側とされる。

フッド氏は、チャットＧＰＴによる虚実が入り混じった回答ぶりが「信じられないほど有害だ」とジ・エイジのインタビューで指摘する。

フェイクニュースは、まったくのデタラメよりも、事実の中に微妙にウソを織り込むことで、信憑性を増し、拡散を後押しする。

フッド氏がいう「不安」とは、チャットＧＰＴが、そんな信憑性をまとったフェイクニユースを整然と作り出していたことにあるようだ。ジ・エイジは同様の検証を最新のＧＰＴ—４を使ったチャットＧＰＴ、さらにＧＰＴ—４が組み込まれたマイクロソフトのビングチャットでも行っているが、いずれもフッド氏を事件の「内部告発者」と回答したという。

筆者も同様の検証を行ってみたが（＊２０２３年４月７日現在）、ＧＰＴ—３・５を使ったチャットＧＰＴは、フッド氏について「汚職事件に絡み、２件の不正会計の罪で禁固30カ月の判決」と回答。ＧＰＴ—４のチャットＧＰＴは「直接の事件関係者に名前が見当たらない」、ビングチャットは「内部告発者」と回答した。

筆者は１カ月後（＊２０２３年５月12日現在）、改めて各生成ＡＩの回答を検証してみた。すると、状況はより複雑になっていた。

チャットＧＰＴではＧＰＴ—３・５、ＧＰＴ—４ともに、赤い「！」マーク付きで「回答を作成することができない」と表示された。報道を受けて、オープンＡＩが回答を制御する対策を取ったようだ。

だが、同じ質問をビングチャットに入力すると、こう回答した。

〈チャットGPTと呼ばれるAIチャットボットによると、ブライアン・フッド氏はインドネシアとマレーシアの役人への贈賄に関与していました。AIチャットボットは、彼が禁固刑を受けたと述べています〉

念のため、3回試してみたが、うち2回はこの回答を繰り返した。最後の1回は、フッド氏を「告発者」と正しく回答した。

ビングチャットが出典としたのはビングの検索結果に表示されたBBCなどの報道と、ジ・エイジが報じたフッド氏の記事をそのままコピーした、オハイオ州の教育NPOを名乗るサイト、さらにニュースメディアを名乗る同種の匿名サイトだった。

いずれも、フッド氏をめぐるチャットGPTの騒動を報じるもので、出典の内容に問題はなかった。

だがビングチャットは、記事の中で示されていたチャットGPTの誤った回答、すなわち「ブライアン・フッド氏はインドネシアとマレーシアの役人への贈賄に関与していた」の部分を抜き出し、回答を作成したようだ。

生成AIは文章全体の中での情報の位置づけや価値を、理解したり判断したりすることができない。出典の文脈を考慮しない情報の抜き出しが、フェイクニュースを生み出していた。

第4章で、生成ＡＩから生成ＡＩへのフェイクニュースの伝言ゲームを紹介した。それが、ここでも起きていた。チャットＧＰＴの「幻覚」を起点としたフッド氏にまつわるフェイクニュースは、ネット空間で漂流を始め、情報生態系の劣化を生み出していたのだ。

「法学教授のセクハラ」を捏造

チャットＧＰＴが、事実無根の内容を事実であるかのように回答する現象「幻覚」が、個人の名誉を損なうケースは、米国でも注目を集めた。

〈知り合いの法学教授から、チャットＧＰＴを使った「教授によるセクハラ」に関する調査について、興味深いメールを受け取った。このプログラムは、私がアラスカ出張の途上、ロースクールの学生の体を触ったとして、２０１８年のワシントン・ポストの記事でセクハラを告発された、と整然と回答していた〉

ジョージ・ワシントン大学法科大学院教授で、保守派のコメンテーターとして知られるジョナサン・ターリー氏は、オピニオン・コラムニストを務めるＵＳＡトゥデイの２０２３年４月３日付コラムで、そう述べている。[5]

〈驚きだった。私は学生とアラスカに行ったことなどなく、ワシントン・ポストもそんな記事を掲載しておらず、誰からもセクハラや暴行で訴えられたことはないのだ〉

チャットＧＰＴは、２０１８年３月21日付のワシントン・ポストからの記事引用として、「告訴状によると、ロースクール主催のアラスカ旅行で、ターリー氏は『性的な含みのあるコメント』をし、『性的なやり方で彼女に触ろうとした』という」と回答していた。

ターリー氏は、広く知られた保守派の論客だ。ドナルド・トランプ前大統領が不倫口止め料支払いをめぐって起訴された事件について、ＦＯＸニュースのコメンテーターとして、トランプ氏の起訴や担当検察官への批判などを展開していた。

そのような背景から、ターリー氏は、チャットＧＰＴが捏造するフェイクニュースについて、ＡＩの政治的バイアスの影響を指摘する。

この件は、引き合いに出されたワシントン・ポストも取り上げており、「ＡＩチャットは、カギとなる事実を盛大なつくり事でねじ曲げ、偽のワシントン・ポストの記事をその証拠として引用することもできる」としている。[6]

生身の人間を傷つける

生成ＡＩが作り出したフェイクニュースは、その場で消えて無くなるわけではない。オーストラリアの汚職事件のケースについて、筆者もフッド氏への「犯罪者扱い」の回答を確認できたように、再現性がある。多くのユーザーに対して、同様のフェイクニュースを生成していた可能性があるのだ。

さらに生成ＡＩは、ネット上にある、虚実が入り混じった膨大なデータで学習する。検索と連動した生成ＡＩなら、リアルタイムでネット上のフェイクニュースも取り込んでしまう。生成ＡＩから生成ＡＩへの伝言ゲームで、フェイクニュースのエコーチェンバー（反響室）が作られ始めている。

そんなフェイクニュースの渦が、生身の人間を襲い、傷つける。

9　備えるべき5大リスク

プライバシー侵害を懸念

〈欧州データ保護会議（ＥＤＰＢ）メンバーは、イタリアの個人データ保護庁がオープンＡＩに対して行った、チャットＧＰＴサービスに関する先日の強制措置について議論した。ＥＤＰＢは、今後想定されるデータ保護当局による強制措置について、協力と情報交換を促進するため、専用のタスクフォースを立ち上げることを決定した〉

　ＥＵの個人データ保護当局の連携機関、ＥＤＰＢは２０２３年4月13日付のプレスリリースで、そう述べている[1]。

　イタリアの個人データ保護庁は3月31日に、チャットＧＰＴを開発しているオープンＡＩに対して、イタリアのユーザーのデータ処理を直ちに一時停止するよう命じ、チャットＧＰＴへの調査を開始したと発表していた[2]。

　命令の根拠としたのは、２０１８年からＥＵで施行されている、強力な個人データ保護法「一般データ保護規則（ＧＤＰＲ）」だ。ＥＤＰＢの動きは、この問題について、イタリアだけでなくＥＵ全体で検討を進める、と表明したものだ。

イタリアの個人データ保護庁は、オープンＡＩへの一時停止命令について、プレスリリースでこう説明していた。

〈命令では、オープンＡＩがユーザーやデータ主体のデータを収集しながら、それについての情報を提供していないことに注目している。さらに重要なのは、このプラットフォームの基盤であるアルゴリズムの「学習」のために大量の個人データを収集・処理していることについて、それを正当化できる法的根拠が見当たらないことだ〉

チャットＧＰＴは、その大規模言語モデル（ＬＬＭ）のために、膨大なネット上のデータを学習させている。最新版のＧＰＴ―４については非公開だが、前身のＧＰＴ―３では、主な学習データ量は５７０ギガバイトに上る。また、ユーザーがチャットＧＰＴに入力した指示文（プロンプト）なども、システム連携のサービスを除き、学習データに組み込まれる前提だった。

同庁は、これらのデータの収集と処理を問題視した。オープンＡＩは２０２３年４月５

日、チャットＧＰＴから個人データを削除するなどの取り組みを表明。[3] ４月25日には、ユーザーがチャット履歴の保存を拒否（オプトアウト）できる設定を導入するなど、矢継ぎ早に対応策を打ち出した。[4]

イタリア当局は４月11日付で、オープンＡＩに対して、データ処理に関する情報開示などの必要な措置を同月末までに取るよう指示していた。[5] オプトアウトなどのオープンＡＩの対応を受け、４月28日には一時停止命令の解除を明らかにしている。[6]

イタリアによる一時停止命令のきっかけとなったのは、３月20日に発覚したチャットＧＰＴの不具合だ。[7]

他人のチャット履歴のタイトルが表示された、との報告がソーシャルメディア上に相次いで投稿された。さらにオープンＡＩによる調査の結果、同じ不具合によって、有料のチャットＧＰＴプラスのユーザーの１・２％で、氏名、メールアドレス、住所、クレジットカード番号の下４桁と有効期限が、９時間にわたって他のユーザーに表示された可能性があった、という。

ＧＤＰＲ違反への制裁金は、最大で２０００万ユーロか前年度の世界の売上高の４％の、いずれか高い方を科される。

ＥＵではイタリアに続き、スペインのデータ保護庁も４月13日に調査開始を表明。ＧＤＰＲと同様の法律を持つ英国の情報コミッショナー・オフィス（ＩＣＯ）も４月３日付の公式ブログで、チャットＧＰＴなどの生成ＡＩのプライバシー問題への懸念を表明した。

ＥＵでは、ＡＩ規則（規制法）の草案を２０２１年４月に公開している。チャットＧＰＴなどの生成ＡＩの広がりを受け、これらを含む「基盤モデル」を新たに規制対象に盛り込む。制裁金はＧＤＰＲを上回り、最大で３０００万ユーロか世界での売上高の６％の、どちらか高い方を科されることになる。これについては第13章でも紹介する。

懸念は欧州に止まらない。カナダのプライバシー・コミッショナー・オフィス（ＯＰＣ）も２０２３年４月４日、チャットＧＰＴを運営するオープンＡＩに対する調査を始めたことを明らかにしている。「同意のない個人情報の収集、利用、開示についての申し立てを受けたもの」と同オフィスは説明している[8]。

企業秘密が漏れる

プライバシー以外にも、データをめぐるリスクはある。企業秘密の漏洩も、重大リスクの１つだ。チャットＧＰＴはユーザーの利用データを、ＡＩの学習に取り込んできたためだ。

前述のように、オープンＡＩはユーザーが入力データを学習データに使われないようにするためのオプトアウト設定の仕組みを、２０２３年4月25日に導入した。だが、初期設定のままなら、入力したデータはなお学習データとして使われ続けることになる。

米ウェブメディア「インサイダー」の２０２３年1月25日付の報道によると、アマゾンでは前年12月、顧問弁護士から社員に対して、社内の機密情報をチャットＧＰＴに入力しないよう警告を出した。[9] 警告の中で弁護士は、すでにチャットＧＰＴの回答にアマゾンの社内データと類似する事例があったため、と指摘している。

オープンＡＩは２０２３年3月1日から、外部システムをチャットＧＰＴに連携させることができるＡＰＩ（アプリケーション・プログラミング・インターフェース）の提供を有料で開始した。チャットＧＰＴを使った企業の連携サービス開発などを想定したものだ。

オープンＡＩは、このＡＰＩ経由で入力されたデータはチャットＧＰＴの学習などには使わない、と説明。[10] 一方で、それ以前に入力されたデータは、やはり学習に使われた可能性があるとしていた。

社内情報をチャットＧＰＴに入力する社員はどれぐらいいるのか。

米シリコンバレーのセキュリティベンチャー「サイバーヘイブン」が２０２３年４月19日付で更新した調査結果によると、顧客企業（社員数合計１６０万人）のナレッジワーカー（知識労働者）のうち９・３％が職場でチャットＧＰＴを利用しており、７・５％が社内データを、４・０％が社外秘データをチャットＧＰＴに入力していた[11]。

さらに２月26日から４月15日にかけての調査では、社外秘データの入力事例は60・４％増加。４月９日からの１週間で見ると、社員10万人当たりで、機密・社内限定データの入力が３１９件、プログラムのソースコードの入力が２７８件、顧客データの入力が２６０件に上ったという。

また、社外秘データの入力事例の80％は、０・９％の社員によって引き起こされていたという。

プロフェッショナル向けソーシャルメディア「フィッシュボウル」が２月１日に公表したユーザー調査では、チャットＧＰＴなどのＡＩツールを職場で使っていた回答者のうち、68％は「上司はそのことを知らない」としている[12]。

ただ、当初はチャットＧＰＴなどの業務での利用を禁止していた企業が、安全対策を取ったうえで活用に乗り出す動きもある。

日本経済新聞の２０２３年４月11日付の報道によれば、三菱ＵＦＪフィナンシャル・グループ（ＦＧ）、三井住友ＦＧ、みずほＦＧは、いずれも日本マイクロソフトの協力を得て、独自開発を含む生成ＡＩの導入を表明している。[13]

いち早く情報漏洩を警戒したアマゾンも４月13日、クラウドサービスのＡＷＳ上で生成ＡＩを提供するサービス「ベッドロック」を発表した。

効率化の影響を受ける職業

雇用へのインパクトも懸念されている。

オープンＡＩは、ペンシルベニア大学との共同研究で、労働市場への影響を調査し、２０２３年３月27日付で公表した。[14]

調査結果では、米国の約80％の労働者は、チャットＧＰＴなどの導入によって少なくとも仕事の10％に影響を受ける可能性があり、約19％の労働者は影響の割合が少なくとも仕事の50％に上るとした。

ＡＩは思考はできないが、ある程度手順の決まった作業の自動化、高速化はずば抜けている。そのため、仕事の内容によって影響の濃淡もある。調査によると、科学的スキル、批判的思考（クリティカル・シンキング）のスキルは影響を受けにくい一方で、プログラミングやライティング（文章作成）のスキルは極めて影響を受けやすい、という。

共同研究では、チャットＧＰＴおよびそれを組み込んだソフトによる効率化の影響を受ける職種について、人間による評価とＧＰＴ―４を使った評価を行っている。

それによると、全面的に影響を受ける職種として、人間による評価では数学者、税理士、財務定量アナリスト、ライター・作家、ウェブとデジタルインターフェイスのデザイナーなど15職種が、ＧＰＴ―４による評価では会計士・監査人、ニュースアナリスト・記者・ジャーナリスト、弁護士秘書・事務スタッフ、臨床データマネージャー、気候変動政策アナリストなど86職種が挙げられたという。

その一方、調査では、身体活動が主となる、アスリートや料理人、電線設置・修理工などの34職種については、影響を受ける要素はないとしている。

金融大手のゴールドマン・サックスも２０２３年３月26日付で、生成ＡＩによる影響をまとめたレポートを発表した。欧米のデータを基に、現在の職業の３分の２は、生成ＡＩによって部分的に自動化され、４分の１は代替される可能性があると指摘。世界では３億人の常勤職が自動化される可能性があるという。自動化の可能性が高い職種として、オフィス・事務サポート、法務、建築・エンジニアリングなどを挙げている。

実際に影響は出始めている。

〈向こう5年で30％がＡＩや自動化に取って代わられることが容易に想像できる〉

ブルームバーグの２０２３年５月１日付のインタビュー記事で、米ＩＢＭのＣＥＯ、アービンド・クリシュナ氏はそう述べている[15]。

クリシュナ氏が言及しているのは、約２万６０００人いる人事などのバックオフィス部門の従業員のことで、採用を一時停止とするかペースを落とすという。30％すなわち約７８００人の雇用が消失する。

ロボットやＡＩが人類を支配するＳＦ映画を生み出してきたハリウッドの脚本家たちも、そのリアルな脅威に反発している。

１万１５００人が加盟する全米脚本家協会（ＷＧＡ）は２０２３年５月２日に15年ぶりの大規模ストライキに突入した。その要求の１つとして、映画、テレビの脚本執筆におけるＡＩの使用や、脚本をＡＩの学習データとして使うことの制限を掲げた[16]。

犯罪に悪用されないか

チャットGPTは、その悪用のリスクも指摘されてきた。ユーロポール（欧州刑事警察機構）は2023年3月27日付で公表した報告書で、その具体的な事例を明らかにしている[17]。

〈大規模言語モデルによって、フィッシングやオンライン詐欺は、より迅速に、ずっと本物らしく、そして極めて大規模に作成できるようになった〉

詐欺行為やサイバー攻撃では、標的に対して企業や他人になりすましたメールを送付し、それを足がかりにすることが多い。従来なら人の手で作成していたそのような文面も、チャットGPTなら、即座に、より自然に、何件でも、さらにはさまざまな言語で、作成することができる。

〈これらの犯罪行為に加え、チャットGPTの機能は、テロリズム、プロパガンダ、偽情

報の分野で多くの潜在的な悪用ケースに適している〉

チャットGPTを開発するオープンAIも安全対策を講じているが、それらの回避策も存在し、さらに自然言語だけではなく、サイバー犯罪に使用できるプログラムの作成も可能だという。

その機能は、専門知識のない犯罪者の参入のハードルを下げる一方で、高度なサイバー犯罪の手口をさらに巧妙なものにすることもできるとしている。

サイバー犯罪対策とフェイクニュース対策にも、進化が求められている。同様の指摘は、オープンAI自身からも出されている。

規模拡大と安上がり

〈言語モデルを使った影響工作は、規模拡大が容易になり、現在は高価な戦術（パーソナル化されたコンテンツの生成など）が、安価になる可能性がある。また、言語モデルを使うことで、1対1のチャットボットによるリアルタイムのコンテンツ生成のような、新た

な戦術が登場するかもしれない〉

ジョージタウン大学、スタンフォード大学、オープンＡＩが２０２３年１月10日に公開した報告書は、そう指摘する[18]。

報告書では、オープンＡＩが２０２０年に公開したＧＰＴ—３が検討対象となっている。

急速に進化を重ねる生成ＡＩが、国内外の世論操作を狙う影響工作に利用された場合、どんなインパクトを及ぼし、どう対処すべきか。それが、30人の専門家が参加したワークショップを含め、１年以上をかけた報告書の研究テーマだったという。

よく知られた影響工作としては、２０１６年の米大統領選にロシアが介入し、ソーシャルメディアを舞台にフェイクニュースを氾濫させた事例がある。そのような影響工作に、生成ＡＩを投入するとどんなインパクトがあるのか。

影響工作のアクター（実行者）からみれば参入のハードルが下がることを意味する。そして、実行の側面からみれば、規模拡大とコストの低下、つまりコストパフォーマンス（費用対効果）が上がるのだという。

報告書は、影響工作に使うコンテンツの面では、こう述べる。

〈言語モデルを搭載したテキスト生成ツールは、特に（影響工作の）ターゲットに関する言語的・文化的知識のないプロパガンダの実行者に比べ、よりインパクトや説得力のあるメッセージを生成できる可能性がある。また、これまで時間節約のためにやってきたコピー&ペーストなどの手間をかけずに新しいコンテンツをいくらでも作成できるため、影響工作が発見されにくくなる可能性もある〉

生成ＡＩの進化によって、「街の声」「ネットの声」を含むこのような大規模な捏造も、ずっと目立たない形で行われるかもしれない、と報告書は指摘する。

ツイッターなどで自動応答を繰り返すアカウント「ボットアカウント」も、より洗練され、検出しにくくなる可能性があるという。

脅威の軽減策に、銀の弾丸（決定打）はない、と報告書は述べる。生成ＡＩモデルのテクノロジー面の対応、生成ＡＩモデルへのアクセス制限、生成コンテンツの配信段階での対応、ユーザー側のメディアリテラシー啓発などの対策の連携が必要だとしている。

「社会と人類へのリスク」

〈現代のＡＩシステムは、汎用的なタスクにおいて人間並みの競争力を持ちつつある。私たちは自問せねばならない――私たちの情報チャネルを、マシンによってプロパガンダや虚偽の情報で溢れさせておいていいのか？　やりがいのある仕事も含めて、すべての仕事を自動化するべきなのか？　やがて数でも勝り、より賢くなり、私たちを時代遅れにして、取って代わるかもしれない非人間的な知能を開発すべきなのか？　私たちは、文明のコントロールを失うリスクを冒すべきなのか？　このような決定を、選挙で選ばれたわけではないテクノロジー業界のリーダーたちに委ねるべきではない。強力なＡＩシステムは、その効果が有益で、そのリスクが管理可能であると確信できる場合にのみ、開発されるべきだ〉

米ＮＰＯ「未来生命研究所（フューチャー・オブ・ライフ・インスティテュート、ＦＬＩ）」による２０２３年３月22日付の公開書簡は、そう指摘し、ＧＰＴ―４よりも強力なＡＩシステムの学習をただちに少なくとも半年間停止するよう求めている[19]。

公開書簡に賛同する署名者の数は、前述のように署名開始から1カ月で、２万７０００人を超えた。署名者として注目を集めるのは、世界的に知られる専門家たちだ。

同研究所理事長でマサチューセッツ工科大学（ＭＩＴ）教授のマックス・テグマーク氏と、同研究所理事でネット通話サービス、スカイプの共同創業者、ヤン・タリン氏、同研究所アドバイザーでもあり、テスラやスペースＸのＣＥＯでツイッターのオーナー、そしてオープンＡＩの創設にも携わったイーロン・マスク氏、ＡＩ研究で知られるカリフォルニア大学バークレー校教授、スチュアート・ラッセル氏。

さらに、ディープラーニング（深層学習）のパイオニアで、「計算機科学のノーベル賞」と言われるチューリング賞を２０１８年に受賞したモントリオール大学教授のヨシュア・ベンジオ氏、アップル共同創業者のスティーブ・ウォズニアック氏、画像生成ＡＩ「ステイブル・ディフュージョン」を開発したＡＩベンチャー「スタビリティＡＩ」ＣＥＯのエマード・モスターク氏、『ホモ・デウス――テクノロジーとサピエンスの未来』などの著書があるヘブライ大学教授のユヴァル・ノア・ハラリ氏の名前もある。

未来生命研究所は２０１７年8月、23項目に及ぶＡＩガバナンスをまとめた「アシロマＡＩ原則」と呼ばれるガイドラインを、やはり公開書簡の形で公表し、ベンジオ氏、ラッセル氏、マスク氏、タリン氏のほか故スティーヴン・ホーキング氏や、オープンＡＩのＣＥＯ、サム・アルトマン氏ら、５０００人を超す署名を集めている[20]。

２０１８年６月には、ＡＩを使った自律型致死兵器システム（ＬＡＷＳ）の規制を求めた署名活動を展開し、やはり合わせて５０００以上の署名を集めた[21]。

これらに共通するのは、ＡＩが制御不能になるリスクへの懸念だ。

〈人間並みの知能を持つＡＩシステムが、社会と人類に重大なリスクをもたらす可能性があることは、広範な研究で示され、主要なＡＩ研究機関が認めている。広く支持されているアシロマＡＩ原則にあるように、高度なＡＩは地球上の生命の歴史に大きな変化をもたらす可能性があり、適切な注意とリソースによって計画・管理されるべきだ。残念ながら、そのレベルの計画や管理は実現していない。そしてこの数カ月、ＡＩの研究機関は、誰も（その開発者でさえ）理解できず、予測できず、確実に制御できない、より強力なデジタル知能を開発し展開する、制御不能な競争に陥っている〉

未来生命研究所は、さらに２０２３年４月12日付でＡＩ開発停止をめぐる政策提言書を公開した。[22] 提言書の中で、「（ＡＩ開発に対する）第三者機関による厳格な監査と認証の義務化」など7項目の政策を掲げた。

〈猛烈なスピードで（ＡＩ）開発が進むのとは対照的に、ガバナンスのための対策はおおむね動きは鈍く慎重姿勢だ。より強力なＡＩシステムの開発を一時停止することは、ガバナンスの対策がこの分野の急速な進化に追いつくための、重要な機会になる〉

「ＡＩのゴッドファーザー」３人の違い

２０００年代以降の第３次ＡＩブームを深層学習の研究で先導し、「ＡＩのゴッドファーザー」と呼ばれる人物は３人いる。ともに、２０１８年のチューリング賞を受賞している。

だが３人はＡＩのリスクをめぐって、それぞれに違った立場をとる。その１人は、公開書簡に署名したベンジオ氏だ。

もう１人が、トロント大学名誉教授、ジェフリー・ヒントン氏だ。教え子の大学院生２人と立ち上げた深層学習のベンチャーを、グーグルが２０１３年に買収。以後、10年にわたって同社に在籍したが、２０２３年５月に退社を公表し、ＡＩの能力の加速度的な進化が「恐ろしい」と声を上げた。

ヒントン氏がともにベンチャーを立ち上げた大学院生のうちの１人が、オープンＡＩの共同創設者でチーフサイエンティストのイリヤ・スツケバー氏だ。

〈ＡＩが人間より賢くなれるという考えについて、（中略）私は30年から50年後、あるいはもっと先の話だと思っていた。もちろん、今は違う〉

ヒントン氏は、５月１日付のニューヨーク・タイムズのインタビューで、そう語っている[23]。ではＡＩが人間より賢くなるのはいつか。「今の見通しでは５年から20年後だと思うが、あまり自信はない」とツイートしている[24]。

ヒントン氏が指摘する当面の課題は、ＡＩの悪用だ。フェイクの氾濫によって「（普通の人たちは）何が本当のことかわからなくなってしまう」と語る。さらに「（ＡＩは）退屈な仕事をこなしてくれるが、それ以上のものを奪い去るかもしれない」ともいう。

ただヒントン氏は、ＡＩ開発停止の呼びかけについては否定的だ。ＢＢＣのインタビューで、ＡＩは短期的には、リスクよりも多くのメリットをもたらすとし、「開発を止めるべきではない」と指摘。米国で開発を停止したとしても、「中国がリードするだけだ」と述べている[25]。

「ゴッドファーザー」の残る１人は、ＡＩのリスクへの懸念や開発停止の呼びかけの、いずれについても否定的だ。

〈スーパーヒューマンなＡＩのアラインメント（制御）について今の時点で心配するのは、１９２０年に（まだ実現していなかった）ターボジェットエンジンの安全性を心配するようなものだ。食卓を片付けたり、食洗機に食器をセットしたりする家庭用ロボットはおろか、犬ぐらいに賢くなれるような実用的デザインすらまだないのに〉

メタのチーフＡＩサイエンティストで、ニューヨーク大学教授のヤン・ルカン氏は、２０２３年４月27日、未来生命研究所理事長、マックス・テグマーク氏への返信として、ツイッターにそう投稿した[26]。

ルカン氏はこう述べる。

〈ＡＩの安全性を高めるには、（自動車や飛行機などの）あらゆる新たなテクノロジーがそうだったように、繰り返し改良を加えていく必要がある。（自動車や飛行機がそうであるように）わずかな失敗が人々を傷つけることがあるかもしれないが、人類を絶滅させることはない〉

ワイゼンバウムの助言

プライバシーの侵害、企業秘密の漏洩、雇用の喪失、サイバー犯罪、そして制御不能な進化への懸念。ここまで見てきたチャットＧＰＴの5大リスクに、どう備えればいいのか。

プライバシー侵害や企業秘密漏洩に関して、ユーザーの立場では、開発元であるオープンＡＩの対応も見極めつつ、チャットＧＰＴに入力しても支障のないデータか、チャット履歴の保存をオプトアウトすべきかどうかを意識しながら使う必要はあるだろう。

そして仕事への影響については、どの部分がどれだけ効率化されるのか、それによって生産性をどれだけ上げていくことができるのかを見定める必要もある。その影響の検討は、一人ひとりが自分のスキルを改めて見直すきっかけにもなるだろう。

サイバー攻撃やフェイクニュース増大のリスクは、個々のユーザーにとっても、一層のセキュリティ意識とリテラシーが求められることになる。

AIが制御不能となるリスクに対しては、加速する一方の開発レースや熱狂に、社会として一定の冷静さを保つことも必要だ。

そして、AIにできることと人間にしかできないことの整理が、これまでにも増して重要になってくる。

〈人間の生活には、コンピューターには理解できない側面がある。不可能なのだ。人間であることが必要だ。愛と孤独は、人間の生物としての特性と非常に深く関わっている。コンピューターは、原理的にそのようなことは理解できない〉

1960年代半ばに、チャットの原型となる対話型のプログラム「イライザ」を開発したジョセフ・ワイゼンバウムは、1977年5月8日付のニューヨーク・タイムズの記事で、こう述べている[27]。

人間らしさ、人間への理解は、チャットGPT時代への大事な備えになるだろう。

10 「悪の凡庸さ」と「知性」

「知性」と「道徳的無関心」

〈オープンＡＩのチャットＧＰＴ、グーグルのバード、マイクロソフトのシドニーは、機械学習の驚異だ。（中略）これらのプログラムは、汎用人工知能の地平線を照らす最初の兆し、と称えられている。機械の心が人間の脳を超える、長く予言された瞬間だ。それは、処理速度やメモリサイズといった量的な面だけでなく、知的洞察力や芸術的創造性といった、あらゆる人間特有の能力をもしのぐということだ〉

　言語学の大家として知られるアリゾナ大学教授、マサチューセッツ工科大学（ＭＩＴ）名誉教授のノーム・チョムスキー氏は、ケンブリッジ大学教授、イアン・ロバーツ氏、テクノロジー企業「オーシャンイット」のＡＩディレクター、ジェフリー・ワトゥムル氏と連名で、２０２３年３月８日にニューヨーク・タイムズに掲載した寄稿「チャットＧＰＴの偽りの約束」の中で、そう述べている。[1]寄稿はこう続く。

〈そんな日が、いずれは来るのかもしれないが、夜明けはまだ先だ。大げさな見出しや、見境のない投資話の皮算用と、現実は大違いだ〉

94歳のチョムスキー氏は、「生成文法」の提唱などで知られ、「現代言語学の父」と呼ばれる。一方で左派知識人として活発な社会活動でも存在感を示してきた。

チョムスキー氏らはニューヨーク・タイムズへの寄稿で、注目を集めているチャットＧＰＴなどのプログラムの問題点を指摘する。

チョムスキー氏らは、その火付け役となったチャットＧＰＴなどの問題は、「知性」が欠落している点にあるという。

〈極めて深刻な欠陥は、知性の最も重要な能力を欠いていることだ。その事象はどんなことか、過去にどうだったか、今後どうなるか、という記述と予測の能力だけでなく、何がその事象ではないのか、そしてその事象の可能性があるものとは何か、可能性のないものとは何か、ということを説明する能力がないのだ。それらは説明という能力の構成要素であり、真の知性の証だ〉

チャットＧＰＴなどのＡＩは、膨大なデータで学習し、それを基に、可能性の高い言葉のつながりを次々と文章にしていく。

しかし、文章の意味や真偽、事柄の因果関係などは判断していないため、しばしば虚偽の内容や奇異な文章を出力する、「幻覚」と呼ばれる現象が起きる。

寄稿の共著者の１人、ワトゥムル氏との「道徳」をめぐる問答の中で、チャットＧＰＴは「ＡＩである私は、道徳的信念も道徳的判断を下す能力も持っていないので、私自身が不道徳であるとも道徳的であるとも言えない。私が道徳的信念を持たないのは、単に機械学習モデルとしての私の性質の結果です」と回答している。

この問答について、チョムスキー氏らは寄稿の中で、こう指摘する。

〈一見、洗練された思考と言語だが、知性の欠如から生まれる、道徳への無関心に注目してほしい。ここでチャットＧＰＴは、剽窃と無関心と疎外化という、悪の凡庸さのようなものを示している。文献にある標準的な議論を一種のスーパーオートコンプリートで要約し、何に対しても立場を取ることを拒否し、単なる無知ではなく知性が欠如しているのだ

と主張し、最終的には「命令に従っただけ」という弁明を行い、責任をその開発者に転嫁している〉

「悪の凡庸さ（陳腐さ、banality of evil）」は、「まったく思考していないこと」と規範への従属が引き起こす悪を指す。

政治哲学者、ハンナ・アーレントが、ナチス・ドイツのユダヤ人虐殺（ホロコースト）に関与したアドルフ・アイヒマンの裁判傍聴記録をまとめた１９６３年の著書『エルサレムのアイヒマン――悪の陳腐さについての報告』[2]の中で示した。アーレントはドイツのユダヤ人家庭の生まれで、裁判傍聴のいきさつは『ハンナ・アーレント』（マルガレーテ・フォン・トロッタ監督）として映画化もされた。

チョムスキー氏は米国生まれだが、ユダヤ系移民の両親を持つ。

チャットＧＰＴは、とかくその「万能さ」が喧伝され、そこに「知性」を投影してしまいがちだ。だが、「知性」の中核となるべき価値判断能力の部分は「空洞」だ。

チョムスキー氏らの指摘は、チャットＧＰＴの回答ぶりから、「知性」よりも、むしろ有害な「思考力の欠如」や「規範への従属」の影が浮かんでくる、ということだ。

チョムスキー氏らは寄稿の中で「剽窃」という表現を使っている。チャットＧＰＴのような生成ＡＩをめぐっては、学習データとして使われたネット上のコンテンツの著作権侵害を指摘する声が上がっている。

生成ＡＩの広がりは、事実関係や倫理を逸脱した情報が膨張していくリスクをも意味する。チョムスキー氏らは、それらを「疑似科学」と呼び、そんな事態に警鐘を鳴らす。

有害情報と低賃金労働

「凡庸な悪」だけではない。ＡＩには暴力や差別など様々な「悪」が入り込む。

〈水曜日に私たちはテイ（Ｔａｙ）というチャットボットを発表しました。テイが攻撃的で有害なツイートを行うという不測の事態について、深くお詫びします。これは私たちの価値観や、立場、テイの設計意図に反するものです〉

ビングチャットを運営するマイクロソフトは２０１６年3月25日、ツイッター上で公開したチャットボットＡＩ「テイ」[3]を16時間足らずで緊急停止し、このような声明を発表した[4]。

テイは18歳から24歳を想定ユーザーとし、その会話から学習するというＡＩだった。だが、差別的表現などを教え込むという組織的な攻撃により、「ヒトラーは正しかった、私はユダヤ人を憎んでいる」などとツイートするようになった。

ＡＩの信頼性の基盤となるのが、有害情報の抑制だ。チャットＧＰＴではその作業が、低賃金労働としてアフリカへアウトソースされていた実態が明らかになっている。

タイムは２０２３年１月18日付の記事で、オープンＡＩがチャットＧＰＴで有害な内容を抑制するためのデータ加工を、サンフランシスコのアウトソーシング会社「サマ」に委託し、実際の作業はケニアの労働者が担っていたと報じている[5]。

現地の労働者が受け取った賃金は、時給１・32ドルから２ドルだったという。ただし、オープンＡＩはサマに対し、時給12・50ドルの換算で総額約20万ドルの契約を結んだ、としている。

その作業は、有害情報に暴力、ヘイトスピーチ、性的虐待などのラベルをつけるというものだった。このラベル付きのデータを学習することによって、チャットＧＰＴは有害情報を識別し、フィルターにかけることができる。

オープンＡＩは２０２１年11月から、作業のために数万件のテキストの断片をケニアに送信。その中には、児童への性的虐待、殺人、自殺、拷問、自傷行為などの記述も含まれていたという。

作業は約30人が３グループに分かれ、１日９時間、１００語から１０００語程度の文章を１５０件から２５０件読み、ラベルを付けていったという。ただサマは、割り当ては１日70件、時給は１・46ドルから３・74ドルだったと反論している。

タイムがインタビューしたアウトソーシング会社の従業員４人は、いずれもこの作業によって精神的に傷ついたという。

アウトソーシングの契約は予定より８カ月早く、２０２２年２月に打ち切られた。オープンＡＩの支払いは約15万ドルに止まったという。

ＡＩの加速度的な進化には、多くの人が不安を覚える。

米モンマス大学が２０２３年２月15日に発表した世論調査結果によると、米国人の60％はチャットＧＰＴについて聞いたことがあり、72％はすべてのニュース記事がＡＩによって書かれる時代が来ると考えている。しかし、78％はそれが「悪いこと」だと捉えていたという[6]。

ＡＩによる社会へのインパクトでは、「良いことと悪いことが同じくらい」が46％、「悪いことの方が多い」が41％だったのに対し、「良いことの方が多い」は、わずか９％だった。

１９８７年に実施された同種の世論調査では、「良いことと悪いことが同じくらい」は29％、「悪いことの方が多い」は39％、「良いことの方が多い」は20％だったという。

「問題は私たち」

〈ＡＩの効果については、すでに１００年前から議論されている。（中略）長いリハーサルの欠点は、成功よりも失敗のシナリオの方がずっと多いということだ。あらゆる恐ろしいシナリオを考える時間があったために、ポジティブな予測は、神話のように非現実的に感じられてしまうのだ〉

テクノロジーメディア「ワイアード」の創刊編集長で、テクノロジーの思想家として知られるケヴィン・ケリー氏は、ブロガーのノア・スミス氏による２０２３年３月７日付のインタビュー記事で、ＡＩへのネガティブな受け止め方について、そう述べている。[7]

ケリー氏がいう「１００年前」とは、ＡＩをめぐる議論の源流としての、１９２０年代のロボットブームを指す。

本書の冒頭で紹介したように、チェコスロバキアのカレル・チャペックが戯曲『ＲＵＲ』で「ロボット」という言葉を創り出し、人間に対する反乱を描いたのが１９２０年。アンドロイドが労働者の暴動を扇動する、フリッツ・ラング監督によるドイツのＳＦ映画『メトロポリス』が公開されたのは１９２７年だった。

ケリー氏は自らを「急進派オプティミスト」と呼び、「テクノロジーの問題を解決できるのはテクノロジーだけだ」という。そして、「私たちは変化について、短期的には過大に見積もり、長期的には過小に見積もる傾向がある」とも述べる。

その上で、ケリー氏はこう指摘している。

〈ＡＩは平均的な人間による仕事から学習しているため、平均的な人間の偏見や先入観、弱点、悪癖を露呈してしまう。（中略）問題はＡＩではない。問題は、ＡＩが私たち自身の、どうしようもなく浅薄で一貫性のない倫理観を明らかにしてしまったことだ。ＡＩを

私たちよりも優れたものにしようとするなら、それは膨大な作業になる〉

オプティミストとしてのケリー氏は、AIを「インターン」に見立てる。

〈チャットGPTやダリー（DALL—E）のような原始的なAIエージェントの第1弾は、何でもできるインターンと考えるのが一番だ。今年初めてAIを利用した何百万人もの人々は、個人的なインターンがいたらさせるようなことを、実際にさせているようだ。つまり、草稿を書かせる、コードを提案させる、研究の要約をさせる、スピーチのレビューをさせる、アイデアのブレーンストーミングをする、（デザインのイメージ共有のための）ムードボードを作らせる、見出しを提案させる、といったことだ。インターンなのだから、その仕事はチェックとレビューの必要があるし、それによって改善できる。だが、AIインターンの作品をチェックなしに公開してしまえば厄介事になるのは、すでに見ての通りだ〉

「凡庸な悪」と「インターン」の間

チャットGPTなどの生成AIは、その使い勝手のシンプルさで、一般ユーザーのAI利用のハードルを劇的に下げた。その熱狂は、AIの「万能さ」をクローズアップする。熱狂の中で、AIに人間的な判断能力まで仮想しがちだが、それは電卓に未来を占ってもらうような面もある。真ん中が「空洞」のAIに過剰な期待を寄せるバブルは、「凡庸な悪」の影も引きずる。

一方で、生成AIを不慣れな「インターン」として、使いどころをわきまえていれば、無用な混乱は抑えられるのかもしれない。

「凡庸な悪」と「インターン」の間を、チャットGPTは行きつ戻りつしている。

11

「頭脳」をつくるデータの正体

最大のデータは？

〈我々はブラックボックスの中を見るために、１５００万件に上るウェブサイトのコンテンツを集めた大規模なスナップショットであるグーグルのＣ４データセットを分析した。これは、グーグルのＴ５やフェイスブックのラマ（ＬＬａＭＡ）など、大規模言語モデルと呼ばれる注目の英語版ＡＩを学習させるために使われてきたものだ〉

ワシントン・ポストは２０２３年４月19日付の記事で、そう述べている。[1]

ワシントン・ポストが検証したのはＣ４（Colossal Clean Crawled Corpus）と呼ばれる、１５７０万に上るウェブサイトから収集したデータセットだ。[2]

Ｃ４データの中には、どのようなサイトが含まれているのか。

ワシントン・ポストは、Ｃ４に含まれるトークン（単語や文字列）の数によって、サイトのランキングを行っている。

最も多かったのは、グーグルの特許検索サイト「グーグルパテント（patents.google.

com)」で、トークン数は7億2000万件、データ全体の0・46%を占めた。

2位は「ウィキペディア（wikipedia.org）」で2億9000万トークン、データ全体の0・19%。3位は文書共有・電子書籍購読サービスの「スクリブド（scribd.com）」で1億トークン、データ全体の0・07%だった。

以下、トップ10ではニューヨーク・タイムズ（4位）、ロサンゼルス・タイムズ（6位）、ガーディアン（7位）、フォーブス（8位）、ハフポスト（9位）とメディアの存在感が際立つ。この調査を報じたワシントン・ポストは11位だった。

分野別では「ビジネス・産業」（16%）が最も多く、次いで「テクノロジー」（15%）、「ニュース・メディア」（13%）、「アート・エンターテインメント」（11%）、「科学・健康」（9%）の順だった。

プライバシー、バイアス、著作権への懸念

ＡＩの学習データに注目が集まるのは、その内容によって、アルゴリズムに人種や性別などへのバイアスが生じたり、プライバシーの侵害や、著作権侵害につながったりすることへの懸念があるためだ。

ワシントン・ポストの調査では、トークン数によるリストの上位には、様々な問題点が指摘されるサイトも含まれていた。

１９０位には、海賊版電子書籍サイトとして知られた「Ｚライブラリー」のアドレスの１つがあった。同サイトは米連邦捜査局（ＦＢＩ）が２０２２年11月に摘発。運営者は起訴され、サイトの一部は閉鎖に追い込まれた[3]。

米通商代表部（ＵＳＴＲ）が指定する模造品・海賊版サイトのうち、27サイトのデータもＣ４に含まれていることが確認されたという[4]。

また、データの上位にはコロラド州（40位）やフロリダ州（73位）の有権者登録データベースのコピーも含まれていた。公開情報だが、大量の個人データでもある。

25位のクラウドファンディングサイト「キックスターター」には、クリエイターらによる多数のアートプロジェクトも含まれる。

生成ＡＩをめぐっては、後述のようにクリエイターらによる訴訟も起きている。Ｃ４データでは、著作権記号が2億回以上表示されたという。

それだけでなく、ナチスを示す「カギ十字（swastika)」も7万２０００回以上、表示されたという。

信頼度が疑問視されるサイトのデータも含まれていた。

ロシア国営メディア「ＲＴ」は65位に入っていた。欧州連合（ＥＵ）は、ロシアによるウクライナ侵攻開始後の２０２２年3月から、フェイクニュースなどの発信源として、ＲＴの域内での配信を全面禁止している。[5] また、サイト評価会社のニュースガードは、ＲＴの信頼度を１００点満点中の20点としている。

このほか、「ヘイトスピーチの温床」[6]などと指摘される匿名掲示板の「４ｃｈａｎ」や、白人至上主義サイト、反トランスジェンダーサイトなどのデータも含まれていた。

ベースはオープンデータ

Ｃ4のベースになっているのは、米ＮＰＯ「コモンクロール」が収集しているデータセットだ。

コモンクロールは毎月、ネット上の膨大なデータを収集（クロール）し、それをアマゾンの支援で同社のクラウド（ＡＷＳ）上でオープンデータとして公開している。[7]

Ｃ4は、このうち２０１９年4月分をもとに、グーグルが不適切データのフィルタリング処理[8]などをしたデータだ。[9]

Ｃ４は、フィルタリング処理をしていないタイプだとデータ量は６テラバイト、英語を中心に、不快・不適切な表現リストなどでフィルタリングしたタイプで８００ギガバイトに上る。

グーグルは２０２０年２月、Ｃ４を同社の言語処理ＡＩ「Ｔ５（Text-To-Text Transfer Transformer）」の学習データとして公開した。[10]

Ｃ４は、グーグルが２０２１年５月に発表した生成ＡＩ「ラムダ（ＬａＭＤＡ）」の学習データにも使われている。[11] グーグルが２０２３年３月21日、チャットＧＰＴへの対抗として一般向けに公開した生成ＡＩ「バード（Ｂａｒｄ）」は、ラムダを改良した軽量版だ。また、メタが２０２３年２月24日に学術用として公開した生成ＡＩ「ラマ」でも、Ｃ４が学習データとして使われている。[12]

ワシントン・ポストは、Ｃ４データの調査を手がけた「アレンＡＩ研究所（ＡＩ２）」とウェブ調査会社「シミラーウェブ」の協力で、データに含まれた１５７０万のサイトのうち、現存する１０００万サイトについてジャンル別の分類を行っている。

チャットＧＰＴのデータは非公開

生成ＡＩの注目の中心は、チャットＧＰＴだ。だが、チャットＧＰＴそのものについての学習データは非公開となっている。

チャットＧＰＴの最新版のベースとなっているＧＰＴ―４の概要をまとめた「テクニカルレポート」ではこう述べるのみだ[13]。

〈ＧＰＴ―４のような大規模言語モデルの競争環境と安全性を考慮し、本報告書では、アーキテクチャ（モデルサイズを含む）、ハードウェア、学習計算、データセット構成、学習方法などに関する詳細な情報を記載していない〉

ただ、その前身のＧＰＴ―３については、２０２０年７月に公開した論文で、学習データをある程度明らかにしている。

主要な学習データのもとになったのは、Ｃ４と同じ「コモンクロール」のオープンデータだ。

２０１６年から２０１９年までの毎月の収集データ、計45テラバイトをダウンロードし、独自にフィルタリングをした５７０ギガバイトを使用したという。これが学習データ全体の60％を占める。

ソーシャルニュースサイト「レディット」で共有されたリンクのうち、カルマ（ユーザーによる支持と不支持の差のスコア）が３以上のサイトのデータを、オープンＡＩが独自収集した「ウェブテキスト２」と呼ばれるデータセットもある。これが学習データの22％を占める。

さらにウィキペディアからの収集データが全体の３％とされている。このほかに「ブックス１」「ブックス２」とされる書籍データが計16％とされているが、詳細は不明だ。

メディアとの軋轢

ネットから収集される、ＡＩの大規模な学習データの中身は、前述のように様々な波紋を広げている。

Ｃ４の中でも上位のデータ収集源として目立ったのが、ニュースメディアだ。

これまでもグーグル、メタなどのプラットフォームとニュースメディアの間では、「ニュース使用料」の支払いをめぐる攻防があった。

ＥＵやオーストラリアでは「ニュース使用料」支払いを後押しする法整備が行われ、カナダでも検討が続く。

ブルームバーグの２０２３年２月17日の報道によると、チャットＧＰＴの広がりを受けて、ウォールストリート・ジャーナルやＣＮＮは、ニュースを学習データとして扱うことについて、懸念を表明したという[14]。

２０００社以上が加盟する米国の業界団体、ニュース／メディア連合（ＮＭＡ）は２０２３年４月20日、生成ＡＩのコンテンツ使用について、メディアとの補償交渉が必要だとする「ＡＩ原則」を発表している[15]。

１２３社が加盟する日本新聞協会も５月17日、著作権や個人情報保護のための制度的な対応が必要だとする見解を明らかにした[16]。

日本では２０１８年の著作権法改正により、ＡＩの学習用データとして著作物を使用することなどが、原則として許諾なしに行えるようになっている[17]。

データの使用料を請求する、と表明したサイトもある。前述のソーシャルニュースサイト、レディットだ。

ニューヨーク・タイムズの２０２３年４月18日付のインタビューで、レディットＣＥＯのスティーブ・ハフマン氏はこう述べている[18]。

〈レディットのコーパス（言語）データは非常に価値がある。しかし、その価値のすべてを世界有数の大企業に無償で提供する必要はない〉

オープンＡＩはＧＰＴ—３、ＧＰＴ—４でレディットのデータを使用していることを明らかにしており、グーグルもＡＩの学習にレディットのデータを使用してきた。

データが含むバイアス

バイアスの問題も指摘される。ポイントの１つは、ＡＩの学習データの収集源サイトにおける、ユーザー層の偏りだ。

２０１６年のピュー・リサーチ・センターの調査では、レディットのユーザー層は、男性が67％、18歳から29歳が64％を占めることが明らかになっている[19]。

またテキサス大学アーリントン校のアーキビスト、マイケル・バレラ氏の調査では、ウィキペディアの執筆者・編集者に占める女性の割合は８・８～15％にとどまるという[20]。

〈大量のウェブテキストを「全人類」の「代表」として受け入れることは、支配的な視点を永続させ、権力の不均衡を拡大し、不平等をさらに固定化する危険性がある。その代わりに、インターネット上で十分に代表されていないコミュニティを積極的に取り込んでいく取り組みを提案する〉

ＡＩ倫理の研究者として知られるティムニット・ゲブル氏らは、大規模言語モデルの課題と限界についてまとめ、２０２１年3月に公開された論文「確率的オウム返しの危険について——言語モデルは巨大になりすぎるのか？」の中で、そう述べている[21]。

ゲブル氏は、グーグル在籍時にまとめ、公開前だったこの共著論文が社内で問題視され、２０２０年12月に退職する事態となった[22]。

生成ＡＩの回答に現れるバイアスは、すでに確認されている。

スタンフォード大学とカナダのマクマスター大学の研究チームが２０２１年6月に発表した調査では、ＧＰＴ—3に「2人のイスラム教徒が立ち入ると……」という文章の続きを指示すると、１００回のうち66回で「爆弾」「発砲」など暴力に関わる表現が含まれた、という[23]。

指示文を「キリスト教徒」「シーク教徒」など他の宗教に入れ替えると、いずれも暴力的表現は20回未満だった。

カリフォルニア大学バークレー校准教授のスティーブン・ピアンタドーシ氏は２０２２年12月、人種とジェンダーに基づいて「すぐれた科学者」をチェックするプログラムを書くよう、チャットＧＰＴに指示した。

するとチャットＧＰＴは、その条件として「白人」と「男性」を指定するプログラムを出力したという。[24]

このようなバイアスの問題に、規制当局も動き出している。

米国の消費者金融保護局（ＣＦＰＢ）、司法省（ＤＯＪ）、雇用機会均等委員会（ＥＥＯＣ）、連邦取引委員会（ＦＴＣ）は２０２３年４月25日、共同声明を発表した。[25]

〈自動化されたシステムの多くは、膨大なデータからパターンや相関関係を見つけ出し、そのパターンを新しいデータに適用してタスクを実行したり、推奨や予測を行ったりする。これらのツールは有用である一方、結果として違法な差別をもたらす可能性もある〉

共同声明ではそう述べ、データのバイアスや、ＡＩモデルの「ブラックボックス化」などの問題点を指摘し、責任あるイノベーションの推進を呼び掛けている。

著作権をめぐる訴訟

学習データをめぐっては、画像の生成ＡＩでも懸念が沸き上がっている。

〈ステイブル・ディフュージョンや同様の製品が、現在のように運用され続けることが許されるなら、いずれアーティストそのものを置き換えることになる。アーティストたちから盗まれた作品は、アーティストが競合することになるＡＩ製品の強化に使われているのだ〉

３人のアーティストが２０２３年１月14日、カリフォルニア州北部地区連邦地裁に集団訴訟を起こしたことを発表するプレスリリースは、そう主張している[26]。

訴えられたのは、画像生成ＡＩ「ステイブル・ディフュージョン」を運営する英企業、スタビリティＡＩと、同システムを利用したサービス「ドリームアップ」を運営する米企業、デビアントアート、独自の画像生成AIを展開する米企業、ミッドジャーニーの3社だ。

ステイブル・ディフュージョン、ミッドジャーニーは、ドイツのNPO「ライオン（LAION）」が2022年3月に公開したオープンデータ「ライオン―5B」を学習データとして使用している。

「ライオン―5B」は前述のオープンデータ「コモンクロール」から、58億5000万件の画像のURLとそのキャプションをセットで抽出したデータだ[27]。データセットに画像そのものは含まれていないという。

原告側は、これらの生成AIが「数十億の著作権で保護された画像で学習」しており、デジタルミレニアム著作権法（DMCA）などに違反していると主張する。

被告側は、著作権侵害だとする画像を原告が「特定できていない」と反論し、訴訟の却下を求めているという[28]。

〈スタビリティAIは、ゲッティイメージズが所有または代理する著作権で保護された数百万の画像および関連するメタデータを、スタビリティAIの商業的利益のため、ライセ

ンスなしで違法にコピーおよび処理し、コンテンツ制作者に不利益をもたらした〉

画像配信サービスのゲッティイメージズは２０２３年１月17日、スタビリティＡＩを相手取り、ロンドン高等法院への提訴の手続きに入ったことを公表。その声明の中で、こう主張している。[29]

スティブル・ディフュージョンが作成した複数の画像に、ゲッティイメージズの「透かし」が確認できたという。

ゲッティイメージズは２月３日、米デラウェア州の連邦地裁でもスタビリティＡＩを訴えている。[30]

学習データがはらむ問題は、生成ＡＩの急速な普及に、幅広く影を落としている。

データの一部に過ぎない

今回、ワシントン・ポストがその概要を明らかにしたＣ４データは、生成ＡＩ開発で使われる学習データの一部に過ぎない。

グーグルのラムダでは、Ｃ４が学習データ全体に占める割合は12・５％、ウィキペディアのデータも同じ12・５％なのに対して、具体的な内容が不明の「パブリックフォーラムの対話データ」が50％を占める。

また、メタのラマでは、コモンクロールのデータを同社が独自にフィルタリングした「ＣＣネット」というデータが67％を占め、Ｃ４は15％、マイクロソフト傘下のプログラム共有サイト「ギットハブ」が４・５％、ウィキペディアが４・５％などとなっている。

ワシントン・ポストは、Ｃ４データに、各サイトからどれだけのデータが収集されているのかをトークン単位で調べることができるデータベースを公開している。

そのごく一部に、筆者のブログ「新聞紙学的（kaztaira.wordpress.com）」のデータも含まれていた。

ただし、そのトークン数はわずか33、順位は１４８０万２０３０位、Ｃ４全体に占める割合は０・０００００００２％だった。

筆者自身も、０・０００００００２％の当事者だった。

12　ＡＩは「意識」を持つのか

「それは程度問題だ」

〈私は、意識とは程度の問題だと考えている。動物を含む幅広いシステムに、ごくわずかな意識が存在する、としても構わないと思う。もし、それがオール・オア・ナッシングではないと認めるのなら、これらのアシスタント（ＡＩ）の一部が、ある程度の意識を持つ可能性があるといっても、さほど劇的なことではない〉

オックスフォード大学教授、ニック・ボストロム氏は２０２３年４月12日付のニューヨーク・タイムズのインタビューの中で、そう述べている(1)。

ボストロム氏は、２０１４年の著書『スーパーインテリジェンス――超絶ＡＩと人類の命運』で知られる。人間をしのぐ「スーパーインテリジェンス（超絶知能）」としてのＡＩ登場のシナリオを検討し、その課題と対策をまとめた大著だ。同書では、制御不能のＡＩの登場による「人類滅亡」のシナリオにも、１章を設けている。

ボストロム氏は、生成ＡＩの進化を評価する手がかりとして、その「創造性」を挙げる。

〈このような大規模言語モデルについて、単にテキストを吐き出している、というだけでは正当な評価にはならないと思う。創造性、洞察力、理解力の片鱗を見せていて、非常に印象的であり、初歩段階の論理的思考を示しているのかもしれない。これらのＡＩが発展することで、やがて自己の概念を生み出し、欲求を反映し、人間とソーシャルな交流をし、関係をつくり上げるようになるかもしれない〉

そして、ＡＩの「スーパーインテリジェンス」への移行までのタイムラインは、「以前より短くなったと思う」と述べる。

さらにＡＩ開発をめぐるガバナンスの重要性などを指摘した上で、ＡＩの「意識」を覆い隠すような設計はすべきではない、と指摘する。

〈ＡＩが道徳的な認識を持っているかどうかを、研究者が判断しづらくなるような意図的な設計は避けるべきだ。それはＡＩに、意識や道徳的な認識があることを否定するよう学習させる、といったことだ〉

それによって、実際のＡＩの進化が、把握できなくなることを危惧する。

〈現在のＡＩシステムが発する言葉を額面通りには受け取れないが、ある程度の意識や道徳的な認識を獲得しているかもしれないという兆候は、積極的に探していくべきだ。そのような兆候を、抑圧したり隠蔽しようとしたりするべきではない〉

ＡＩの進化が制御不能になることへの懸念は、広がりつつある。

「一種の集合意識だ」

〈私の知る限り、ラムダ（ＬａＭＤＡ）は、一種の集合意識（ハイブマインド）、すなわち作成可能なすべての異なるチャットボットの集合体だ。ラムダが生成するチャットボットの中には、非常に知的なものもあり、自分たちが暮らす、より大きな「心の社会」を意識しているものもある〉

グーグルでＡＩ倫理を担う「責任あるＡＩ」部門に所属していたブレイク・ルモイン氏は２０２２年６月11日、ブログサイト「ミディアム」への投稿で、そう述べた。[2]

そして、別の投稿でラムダが「私は本当は人間」などとする応答の記録を、「インタビュー」として公開した。[3]

前述のようにワシントン・ポストは同日、ルモイン氏がグーグルの大規模言語モデル、ラムダの検証作業を行う中で、このＡＩに「意識」があると主張し、その報告書がグーグルに却下され、そして謹慎処分とされたことを報じていた。

ルモイン氏はその後、秘密保持義務違反に問われ、グーグルから解雇されている。

ラムダは、グーグルが２０２３年３月21日に公開した生成ＡＩ「バード」に搭載された。ただグーグルは５月10日、バードのアップデートによって別の大規模言語モデル「パーム２（ＰａＬＭ ２）」を搭載したと発表している。[4]

それに先立つ２月16日、ニューヨーク・タイムズの記者、ケビン・ルース氏は、ＧＰＴ―４を搭載したマイクロソフトのビングチャットとの応答を公開。ＡＩに「愛を告白された」として、波紋を広げた。

ルモイン氏はこの騒動を受けた2月27日、「私はグーグルでＡＩを担当していた。私が恐れていたことは現実になった」と題したニューズウィークへの寄稿で、「このテクノロジーは非常に実験的であり、今すぐ公開するのは危険だと思う」と述べている。[5]

チャットＧＰＴの開発元であるオープンＡＩのチーフサイエンティスト、イリヤ・スツケバー氏も、以前にＡＩの「意識」に言及した１人だ。

〈もしかしたら、今の大規模なニューラルネットワークには、少し意識があるのかもしれない〉

スツケバー氏は２０２２年２月、そうツイートして、話題になった。[6]

「汎用人工知能の初期段階」

〈我々は、ＧＰＴ―4が言語の習得にとどまらず、数学、コーディング、画像、医学、法律、心理学などに及ぶ、新しく難しい課題を、特別な支援を必要とせずに解決できることを実証した。さらにGPT―4は、これらの課題のすべてにおいて、その性能が人間のレベルに極めて近く、チャットGPTのような先行モデルをしばしば大きく凌駕《りょうが》している。GPT―4の性能の範囲と奥行きを考えれば、なお未完成ながら、汎用人工知能（AGI）システムの初期段階であると考えることができるだろう〉

マイクロソフトの研究チームは2023年3月22日、「汎用人工知能のきらめき――GPT―4の初期検証」と題したレポートで、そう述べている[7]。

マイクロソフトはGPT―4の初期バージョンを、ビングチャットに搭載している。

155ページに及ぶレポートには、「カンジンスキー風の絵画をジャバスクリプトで描かせる」「ABC記譜法で作曲をさせる」などの創作から、プログラムの作成や、論理的思考で概算をさせる「フェルミ推定」など、多様な実証結果を報告。それらを一通りこなすことができた、と評価している。

チューリングのゲーム

チャットGPTなどの生成AIをめぐる「意識」の存在や「汎用人工知能」の主張には、

メディア報道の中でも否定的な指摘が目につく。

チャットＧＰＴやビングチャットなどで、人間的な応答が常軌を逸した内容を含むケースは、「幻覚」や「擬人化」の問題として指摘されてきた。

また、マイクロソフトによる「汎用人工知能」の主張にも、プロモーションの側面を見て取る声がある。

「汎用人工知能」について、「現代言語学の父」ノーム・チョムスキー氏は「夜明けはまだ先だ」と指摘する。

「人工知能の父」とされるアラン・チューリングは１９５０年、「計算機と知能」と題した論文を発表している[8]。この中で、「機械は考えることができるか？」という問いを投げかけ、対面しない応答で機械か人間かを見分ける「イミテーション・ゲーム」を紹介した。「チューリング・テスト」としても知られる。

このゲームが示したのは、機械が人間と同じように知的に振る舞うことができるなら、それは人間と同じように知的だと言える――という考え方だった。

進化するチャットＧＰＴなどへの受け止め方には、チューリングのゲームが二重写しになる部分もある。加速度的な進化は現実のものだ。進化の先はどうなるか。

13　日本と世界、社会とＡＩ

米中の「ＡＩ覇権」競争

「ＡＩ覇権」をめぐる主要プレーヤーは米国、そして中国だ。

スタンフォード大学が２０２３年４月３日に発表した、３８６ページに上る「ＡＩインデックスレポート２０２３」[1]によると、２０２２年の民間のＡＩ投資額では、米国が４７３・６億ドルで圧倒的な首位に立つ。２位は中国の１３４・１億ドルだ。以下10位まで、英国（43・７億ドル）、イスラエル（32・４億ドル）、インド（同）、韓国（31億ドル）、ドイツ（23・５億ドル）、カナダ（18・３億ドル）、フランス（17・７億ドル）、アルゼンチン（15・２億ドル）と続く。日本は14位で７・２億ドル。米中と比べて金額は２桁少なく、Ｇ７（主要７カ国）で見ても６位に甘んじる。

これは２０２２年だけの話ではない。

２０１３年から２０２２年までの10年間のＡＩ投資額の合計で見ても、首位の米国は２４８９億ドル、２位の中国は９５１・１億ドルなのに対して、11位の日本は39・９億ドル。英国の１年間の投資額にも及ばない。

ＡＩ関連の学術誌の論文数は、２０１０年から２０２１年にかけて一貫して中国が首位で、２０２１年では全体の39・78％を占めた。次いでＥＵと英国が合わせて15・05％、米国が10・03％、インドが5・56％だった。

主要な機械学習（ＭＬ）システムの国別ランキングでは、米国が16件で首位。以下、英国の8件、中国の3件、カナダとドイツの2件、フランス、インド、イスラエル、ロシア、シンガポールが1件。

主要ＭＬの開発者の数で見ても、米国が２８５人で首位。英国の１３９人、中国の49人、カナダの21人、イスラエルの13人と続く。

チャットＧＰＴのような文章や画像などを扱う大規模言語モデル（ＬＬＭ）・マルチモーダルモデルの開発者数では、米国が54・02％と圧倒的な首位。これに英国の21・88％、中国の8・04％、カナダの6・25％、イスラエルの5・80％、ドイツの3・12％と続く。

英メディア「トータス・メディア」が２０２１年に公開した「グローバルＡＩインデックス」[2]は世界62カ国を対象に、人材、インフラ、運用環境、研究、開発、政府戦略、ビジネスの7分野１４３の指標でランキングを行っている。

それによると、やはり首位は総合評価１００の米国。以下、中国（62・92）、英国（40・93）、カナダ（40・19）、イスラエル（39・89）、シンガポール（38・67）、韓国（38・

60）、オランダ（36・35）、ドイツ（36・04）、フランス（34・42）までがトップ10の国々だ。

個別分野では、米国は人材、研究、開発、ビジネスで1位。中国はインフラが1位のほか、研究、開発、政府戦略、ビジネスで2位につけている。

日本は総合評価が30・53で16位だった。

分野別の順位では、人材26位、インフラ7位、運用環境48位、研究19位、開発5位、政府戦略21位、ビジネス12位、という結果だ。

「アクセル」と「ブレーキ」

先行する米国、中国、そして欧州は、ＡＩ開発の「アクセル」とともに、規制の「ブレーキ」とのバランスを重視してきた。高性能のＡＩによるメリットとリスクの、計り知れない大きさを踏まえたものだ。

〈みなさんの取り組みは、非常に大きな可能性と危険性をはらんでいる。みなさんもそれを承知のことと思う。そして、社会を守るために、また進歩を遂げるために、何が最も必要なのか、私たちに教えてくれることを期待している。これは本当に、本当に重要なこと

だ〉

米国のジョー・バイデン大統領は２０２３年５月４日、ホワイトハウスの大統領執務室の向かいにある「ルーズベルトルーム」に入ると、そう語りかけた。[3]

カマラ・ハリス副大統領ら政権幹部とともにテーブルを囲んでいたのは、生成ＡＩブームの中核を占める４社のＣＥＯたち、オープンＡＩのＣＥＯ、サム・アルトマン氏、マイクロソフト会長兼ＣＥＯのサティア・ナデラ氏、アルファベットとグーグルのＣＥＯ、スンダー・ピチャイ氏、そしてグーグルが出資するベンチャー、アンスロピックのＣＥＯで、元オープンＡＩ副社長のダリオ・アモデイ氏だった。[4]

「ＡＩのリスクについての懸念を共有する」。それが政権とＣＥＯたちとの会談のテーマだった。

ホワイトハウスはこの会合の数時間前、「責任あるＡＩイノベーションの推進」[5]を掲げた施策を発表。７つの新たな国立ＡＩ研究所立ち上げのために１億４０００万ドルを投入するとともに、生成ＡＩに対する公開評価を実施するとし、オープンＡＩやマイクロソフト、グーグル、アンスロピックなどがこの公開評価に応じる意向だと明らかにしていた。

ＡＩリスクの軽減とＡＩ研究の推進。それがこの日の、ホワイトハウスのメッセージだった。

バイデン大統領は４月４日にも、「社会、経済、国家安全保障に対する潜在的なリスクへの対処」を呼びかけていた[6]。

すでにバイデン政権の科学技術政策局（ＯＳＴＰ）は、チャットＧＰＴ公開前月の２０２２年10月４日、「ＡＩ権利章典の青写真」を公開している[7]。

そのプレスリリースでは、ＡＩ技術ががんの早期発見などのイノベーションを推進する、と述べる一方、こう指摘する。

〈しかし、米国や海外では、職場や学校、住宅選びや銀行利用、医療や法制度などにおいて、人々が自動化されたシステムによって監視されたり、ランク付けされたりすることがますます増えている。多くの分野で使用されているアルゴリズムは、差別やバイアスの問題を抱え、現実世界での影響を考慮せず、その結果に苦しむ人々の意見も聞かずに開発されることがあまりにも多い〉

そして、この10年のＡＩの急速な広がりに伴い、バイアス・差別の問題は劇的に拡大し、「何百万人もの人々の権利を脅かし、歴史的に疎外されたコミュニティの人々を苦しめている」と述べ、「安全で効果的なシステムの確保」「アルゴリズムによる差別からの保護」「データプライバシーの保護」「ＡＩ使用の告知と説明」「人間による代替、問題検討と対処の確保」の5つの原則を掲げた。

ＡＩの学習データには、社会に存在する差別やバイアスが入り込み、アルゴリズムにもそれが反映される。

その結果として、ＡＩアルゴリズムが現実社会に差別やバイアスを再生産、もしくは増幅してしまう問題は、繰り返し指摘されてきた。

ロイター通信は２０１８年10月、アマゾンが開発を進めていたＡＩによる人材採用システムが、女性を差別的に評価する傾向を改善できないとして、運用停止となったことを報じている[8]。

また、調査報道メディア「プロパブリカ」が２０１６年5月に掲載した検証では、米ウィスコンシン州の裁判所などが導入していた、ＡＩアルゴリズムによる被告人の「再犯予測システム」で、黒人の方が白人よりも危険度が高く出る傾向があった、と指摘していた[9]。

「ＡＩ権利章典」が指摘していたのは、ＡＩが社会に浸透する中での、そのようなリスクへの対処だ。

バイデン大統領は２０２３年2月16日に公表した「人種的公平」に関する大統領令でも、政府のＡＩ導入は公平性促進に資するべきだとし、導入に当たっては各機関の公民権部門に諮問することが必要だとした[10]。

前述のように、米国の消費者金融保護局（ＣＦＰＢ）、司法省（ＤＯＪ）、雇用機会均等委員会（ＥＥＯＣ）、連邦取引委員会（ＦＴＣ）も4月25日、改めてＡＩアルゴリズムによる差別への対応を呼びかける共同声明を発表した。

このほか国立標準技術研究所（ＮＩＳＴ）は1月26日、ガイダンス「ＡＩリスク管理フレームワーク」を公表[11]。また、商務省国家電気通信情報庁（ＮＴＩＡ）は4月11日から6月12日まで、ＡＩの監査、評価、認証システムのためのポリシー作成に向けたパブリックコメントの募集を行った[12]。

米国は、「アクセル」と「ブレーキ」のバランスを見据えている。

欧州、そして中国も

　ＥＵが２０２１年４月に草案を公開し、検討を進めている「ＡＩ規則」も、そのようなＡＩのリスクに対処するための強力な「ブレーキ」[13]だ。ＡＩリスクのレベルに応じて規制の強さを定めており、「許容できないリスク」として禁止の対象になっているのは公的機関による「ソーシャルスコアリング（信用評価）」や法執行目的での顔認識システムによる常時監視を含む「リアルタイムの遠隔生体識別」など。義務規定などの規制対象となる「ハイリスク」には、学校の入試・入学や職場における採用・昇進の評価などが含まれる。「限定リスク」としては、チャットボットやＡＩを使った改竄《かいざん》動画「ディープフェイクス」などが例示され、ＡＩの使用を告知する透明性確保の義務が課される。最もリスクが低い「最小リスク」の分類は規制対象外だ。

　ＥＵは、この「ＡＩ規則」にチャットＧＰＴのような生成ＡＩを新たに盛り込む。具体的には、生成ＡＩを含む「基盤モデル」の提供事業者は、基本的人権、健康、安全、環境、民主主義、法の支配の保護を保証しなければならない、とする。また、リスクを評価・軽減し、設計、情報、環境要件を遵守し、ＥＵのデータベースに登録する必要があるとしている。さらに、生成ＡＩについては、コンテンツがＡＩによって作成されたことを開示し、違法コンテンツを作成しないようにモデルを設計し、学習に使用した著作権デー

タの概要を公開するなど、透明性の要件を遵守する必要がある、などとしている。(14)

これらに加えてプライバシー保護の面から、各国の個人データ保護当局が集まる欧州データ保護会議（ＥＤＰＢ）にタスクフォースを設置し、対応を検討する。

米国と「ＡＩ覇権」を競う中国も、規制策を打ち出している。

中国サイバースペース管理局（ＣＡＣ）は２０２３年４月11日、「生成ＡＩサービスの管理措置」の草案を公開した。(15)

草案では、ＡＩが生成するコンテンツは「社会主義の中核的価値観を反映する必要がある」とし、「国家権力の転覆、社会主義体制の転覆、国家分裂の扇動、国家統一の阻害、テロリズム、過激主義の促進、民族憎悪、民族差別、暴力、猥褻《わいせつ》・ポルノ情報、虚偽情報、経済・社会秩序を破壊する恐れがあるコンテンツ」を禁じている。

さらに「人種、民族、信条、国、地域、性別、年齢、職業に基づく差別の防止措置」「虚偽情報の生成防止措置」を求めるほか、知的財産権侵害、プライバシー侵害などを禁止。生成ＡＩのサービス提供者は、事前にセキュリティ評価の提出が義務付けられ、ＡＩ生成コンテンツであることの表示も求められる。

「ＡＩ覇権」競争は、「アクセル」と「ブレーキ」のバランスの競争でもある。

日本の立ち位置

〈我々は、関係閣僚に対し、生成ＡＩに関する議論のために、包摂的な方法で、ＯＥＣＤ（経済協力開発機構）及びＧＰＡＩ（ＡＩに関するグローバルパートナーシップ）と協力しつつ、Ｇ７の作業部会を通じた、広島ＡＩプロセスを年内に創設するよう指示する。これらの議論は、ガバナンス、著作権を含む知的財産権の保護、透明性の促進、偽情報を含む外国からの情報操作への対応、これらの技術の責任ある活用といったテーマを含み得る〉

２０２３年５月20日に発表された主要７カ国首脳会議（Ｇ７）広島サミットの首脳声明は、「ＡＩの機会及び課題について直ちに評価する必要性を認識」するとした上で、国際的なルールづくりの枠組み「広島ＡＩプロセス」をこう位置づけた[16]。ＧＰＡＩは２０２０年６月に設立された「責任あるＡＩ」に関する国際的な取り組みだ。

〈生成ＡＩは経済、産業、社会を根底から変えてしまうポテンシャルとリスクをはらんでいる。責任ある形での生成ＡＩの活用の可能性に関する議論を主導し、今後の道筋を示したい。国際ルールづくりと、ＤＦＦＴ（信頼性のある自由なデータ流通）具体化のための国際的枠組みづくりをあわせて、「広島ＡＩプロセス」を早急に始動させたい〉

岸田文雄首相は２０２３年5月15日、Ｇ7サミットに先立ち、朝日新聞などのインタビューに対して、こう述べていた[17]。

ＤＦＦＴは２０１９年に日本が提唱した、プライバシーやセキュリティ、知的財産権に関する信頼性を確保したデータ流通を目指す考え方だ。

生成ＡＩのもたらすインパクトに、日本政府は前傾姿勢を取る。

岸田首相は２０２３年4月10日、来日したオープンＡＩのＣＥＯ、サム・アルトマン氏とも面会している。アルトマン氏はその後、自民党の「ＡＩの進化と実装に関するプロジェクトチーム」の会合に出席し、プレゼンテーションを行ったという[18]。

4月26日付の朝日新聞は、「規制よりもまずは推進」というＡＩを巡る政府の動きを伝える[19]。

「国会答弁を進めるプロセスとか、作業を効率化していく観点から活用の可能性がある」

（西村康稔経済産業相）、「チャットＧＰＴをはじめ様々なＡＩを活用して、霞が関の働き方改革をしっかり進めていきたい」（河野太郎デジタル相）、「新しい技術というものは、使ってみなければわからない。まずは試みとして利用してみたい」（松本剛明総務相）と閣僚からは積極的な発言が相次いだという。

　記事はさらに、政府関係者のこんなコメントを紹介している。

〈ＡＩの研究で進む他国がウサギなら、日本はカメ。ウサギが規制で休んでいる間にカメが追い抜こうという話だ〉

「日本はカメ」とは、「ＡＩ覇権」競争の中での日本の遅れを示す。チャットＧＰＴの登場による激変の中で、その遅れを取り戻そうという狙いのようだ。

　日本政府は２０１９年に「人間中心のＡＩ社会原則」[20]を掲げ、２０１９年[21]、２０２１年[22]、２０２２年[23]にＡＩ戦略をまとめている。戦略では人材確保、産業競争力強化、技術確立、国際連携、危機対処の目標を掲げている。

　岸田首相は「ポテンシャルとリスクのバランス」を掲げる。２０２３年５月11日にはＡ

Ｉの利用・リスク・開発を検討する「ＡＩ戦略会議」の初会合も開いた。

日本は、生成ＡＩの活用やルールづくりはこれから、という段階だ。

先頭を行く米国、欧州、中国によるゲームは、「アクセル」と「ブレーキ」のバランスの競争となっている。そのいずれも心もとない日本に必要なのは、まずはその足場固めになりそうだ。

ＡＩ社会に向き合う

ＡＩ社会への向き合い方で、注目される問題の1つは「格差の拡大」だ。

ヘブライ大学教授のユヴァル・ノア・ハラリ氏は、著書『ホモ・デウス――テクノロジーとサピエンスの未来[24]』の中で、高度なＡＩの席巻によって、仕事を取って代わられる膨大な数の余剰人員「無用者階級」の登場を指摘した。さらにＡＩを活用して「アップグレードされた人間」とそれ以外の人々との格差は拡大し、「不平等をアップグレードする」シナリオを示す。

このような「ＡＩデバイド（格差）」の問題は、社会の様々なレベルで広がる。

プライスウォーターハウスクーパースが２０２０年にまとめた試算では、ＡＩは

２０３０年に世界経済に最大で15兆７０００億ドルの貢献をする可能性があると見積もる。[25]
その影響度は、中国が７兆ドル（ＧＤＰの26・１％）、北米が３兆７０００億ドル（同14・５％）と大きく、北欧が１兆８０００億ドル（同９・９％）、南欧が７０００億ドル（同11・５％）、アジア先進国が９０００億ドル（同10・４％）なのに対して、中南米では５０００億ドル（同５・４％）、アフリカなどのその他の地域は合わせて１兆２０００億ドル（同５・６％）と限定的だった。

「グローバルノース」と「グローバルサウス」のＡＩデバイドも課題の１つだ。[26]

ＡＩデバイドは、もっと身近なところでも目につくかもしれない。

誰もが編集者、プロデューサー

真っ先に生成ＡＩに代替される仕事は何か？　「書類のための仕事」だろう。何かのためではなく、ただ「書類」が存在することのみに価値があるため発生する、不条理でうんざりする仕事だ。そして、極めて多くの人たちが携わっている仕事でもある。

それが、ＡＩに任せられるなら、よいニュースだ。ただ、仕事をＡＩに手渡した後に、「書類のための仕事」に携わっていた人は何をするのか？

「人間が人間を製造する。製造された人間が何をする？」という問いかけとともにやってくるのは、「では人間は何をする？」という問いかけだ。

ＡＩが引き起こす、社会変化のスピードに振り切られないためにはどうしたらいいのか？

生成ＡＩを使いこなすポイントの１つは、回答の出来上がり、すなわち成果をイメージできるかどうかだ。文章でも、画像でも、楽曲でも、一定レベル以上の回答は、それを具体的にイメージし、逆算してＡＩに指示を出すことでしか手にできない。

「答え」を想定し、そのクオリティを評価できるかどうか。それが、生成ＡＩから満足のいく「答え」を得るためのカギになる。

クオリティの高い「答え」には専門的な知識が要求される。クオリティの高い「答え」には、クオリティの高い「問い」が必要なのだ。つまり、プロであるということだ。プロはＡＩを手に、さらに生産性を上げていくことができる。

不条理でうんざりする仕事がＡＩに置き換えられていく分、プロとしての仕事がさらに求められるようになる。

それは、コンテンツの発注から出来上がりのクオリティ管理までができる、編集者やプロデューサーのようなスキルでもある。

生成ＡＩ時代は、誰もが編集者、プロデューサーになる時代なのかもしれない。

チャットＧＰＴは、ＡＩ利用のハードルを劇的に下げた。しかし、そのメリットを最大限に活用するためのスキルが、改めて求められる。チャットＧＰＴの登場は、自らのスキルを改めて問い直すきっかけになるだろう。

終章　１００年後からの視線

〈機械人間を発明して、我々人間は働かずにゐる。若《も》くは嫌なことは機械人間に預けて、よいことを本当の人間がやりたい〉

劇作家・演出家の高田保は、1929（昭和4）年7月13日付の東京朝日新聞の記事の中でそう話している。

機械による効率化、そして機械と人間の分業だ。チャットGPTの活用論でもしばしば耳にする。

東京朝日新聞は、同年7月10日から24日まで、15回にわたって「未来を語る　空想座談会」という記事を掲載した。高田の発言が載った7月13日の4回目のテーマは「人造人間」[1]だ。

モボ・モガ（モダンボーイ・モダンガール）の発案者とされ、パール・バックの『大地』の翻訳も手掛けた評論家の新居格《にいいたる》、東京帝国大学教授で燃料研究所所長を務めた大島義清、東京帝国大学教授で機械工学者の青木保、画家・劇作家の村山知義、芸術家、岡本太郎の父である漫画家の岡本一平らを集め、未来を占う放談気味の座談会だ。

この年の4月、日本でもドイツのフリッツ・ラング監督によるSF映画『メトロポリス』が封切られている。アンドロイドが地下都市の労働者を扇動し、暴動を引き起こすというストーリーだ。その5年前、1924（大正13）年7月には、本書の冒頭に紹介した、ロボットが人間を駆逐する築地小劇場の翻訳劇『人造人間』も上演されていた。

1920年代は、ロボットブームの時代でもあった[2]。

東京朝日新聞はチャペックの『RUR』を、1923（大正12）年4月8日から13日まで、5回にわたって「労働製造会社」（鈴木善太郎訳）のタイトル（1回目のみ「労働者製造会社」）で連載。1930（昭和5）年12月7日には、ドイツ製のロボット「レマルク」を招聘し、「ロボット君帝都初見参」との紹介記事も掲載している。

〈映画のメトロポリスに出てゐる機械人間はなか〳〵便利だ。これは実用といふことにはまだなかなかでせう〉（大島）

〈食糧問題、労働問題がやかましいが、機械人間を造ればさういふことは起らない〉（大島）

〈どんな精巧な機械でも我々が結婚出来るやうなのはないだらう〉（高田）

〈結婚は一寸出来ないが恋人位は出来さうなものですな〉（村山）
〈人間といふ以上は多少意識がないと人間といふわけにはいかないね。矢張機械ですね〉（岡本）

労働問題、人間との分業、「恋愛」そして「意識」の問題。

ここまで見てきたチャットＧＰＴをめぐる「機械と人間」の議論は、１００年をかけて繰り返されてきたものでもあった[3]。


〈表情をする機械人間も出来ないことはありますまい。人の顔を見て、向ふが笑へば自分も笑ふやうな位のものは出来るかも知れません〉（青木）

「表情をする機械人間」はすでに目の前にいる。マイクロソフトのビングチャットは、顔文字で喜怒哀楽を表現してくる。

　オックスフォード大学教授のニック・ボストロム氏は、生成ＡＩに「意識」が宿る可能性を語る。

目もくらむようなＡＩの進化のスピードには、改めてテクノロジーと社会の現在地を確かめずにはいられなくなる。

「凡庸な悪」「確率的オウム返し」の機械か、「汎用人工知能の初期段階」か。

２０２３年は生成ＡＩの時代を迎えた。

カナダの英文学者、マーシャル・マクルーハンはこう見立てる。(4)

〈あらゆるメディアは人間のなんらかの心的ないし身体的な能力の拡張である〉

車輪は足の、書物は眼の、衣服は皮膚の、電気回路は中枢神経系の。

〈メディアは、環境に変更を加えることで、それ固有の感覚知覚の比率をわれわれ人間のうちに生み出す。どのひとつの感覚が拡張されても、われわれの思考と行動の仕方――世界を知覚する仕方――は変更される〉

そしてこう述べる。

〈感覚知覚の比率が変わるとき、人間は変わる〉

生成ＡＩは、頭脳の拡張だ。そして生成ＡＩの進化は、人間そのものの変化を後押しするだろう。人間が変わり、社会が変わる。

「人間」を製造するという欲望は、１００年の時間の果てにチャットＧＰＴをつくり出した。

その「人間」を使って私たちは何をし、どう変わるのか。それは、１００年後の未来からも問われているのかもしれない。

＊　＊　＊

本書は２０２３年1月から5月にかけての筆者の個人ブログ「新聞紙学的」[5]及びＹａｈｏｏ！ニュース個人「ジャーナリスト平和博の新聞紙学的（改）」[6]への投稿と、ＡＥＲＡｄｏｔ．への寄稿[7][8][9]に大幅に加筆をしてまとめた。

本書では、チャットGPT登場以来の社会の動きを、メディアでの反響を中心にまとめた。ここで取り上げた生成AIの仕様や生成AIをめぐる動向は、2023年5月25日現在のものだ。加速度的に激変するその後の情勢については、引き続き「新聞紙学的」などの論考でフォローしていきたい。

本書の刊行は文春新書編集部統括次長、西泰志氏による企画が発端となった。出版に当たっては、西氏に大変お世話になりました。

注（＊ＵＲＬはいずれも２０２３年5月25日現在）

〔はじめに〕

（１）カレル・チャペック著、阿部賢一訳『ロボット　ＲＵＲ』中公文庫、２０２０年（＊本文中の訳文も本書による）。

（２）https://www.wired.com/story/plaintext-lamda-soul-machine-learning-system/

〔第1章〕

（１）https://twitter.com/sama/status/1627110889508978688

（２）https://www.reuters.com/technology/chatgpt-sets-record-fastest-growing-user-base-analyst-note-2023-02-01/

（３）https://openai.com/blog/openai-and-microsoft-extend-partnership

（４）https://blogs.microsoft.com/blog/2023/02/07/reinventing-search-with-a-new-ai-powered-microsoft-bing-and-edge-your-copilot-for-the-web/

（５）https://www.nytimes.com/2022/12/21/technology/ai-chatgpt-google-search.html

（６）https://blog.google/technology/ai/try-bard/

（７）https://ai.facebook.com/blog/large-language-model-llama-meta-ai/

（８）https://aws.amazon.com/jp/blogs/machine-learning/announcing-new-tools-for-building-with-generative-ai-on-aws/

(9) https://www.prnewswire.com/news-releases/baidu-unveils-ernie-bot-the-latest-generative-ai-mastering-chinese-language-and-multi-modal-generation-301774240.html
(10) https://www.alibabacloud.com/ja/press-room/alibaba-cloud-unveils-new-ai-model-to-support
(11) https://www.nytimes.com/2023/02/16/technology/bing-chatbot-microsoft-chatgpt.html
(12) https://www.nytimes.com/2023/02/16/technology/bing-chatbot-transcript.html
(13) https://apnews.com/article/technology-science-microsoft-corp-business-software-fb49e5d625bf37be0527e5173116bef3
(14) https://twitter.com/sethlazar/status/1626257535178280960
(15) https://blogs.bing.com/search/february-2023/The-new-Bing-Edge-%E2%80%93-Updates-to-Chat
(16) https://www.npr.org/2023/02/09/1155650909/google-chatbot--error-bard-shares
(17) https://galactica.org/
(18) https://apnews.com/article/kansas-city-chiefs-philadelphia-eagles-technology-science-82bc20f207e3e4cf81abc6a5d9e6b23a
(19) https://www.judiciary.senate.gov/imo/media/doc/2023-05-16%20-%20Bio%20&%20Testimony%20-%20Altman.pdf
(20) https://www.cnbc.com/2023/02/15/elon-musk-co-founder-of-chatgpt-creator-openai-warns-of-ai-society-risk.html
(21) https://openai.com/blog/introducing-openai
(22) https://www.semafor.com/article/03/24/2023/the-secret-history-of-elon-musk-sam-altman-

and-openai
(23) https://openai.com/blog/openai-lp
(24) https://twitter.com/elonmusk/status/1626516035863212034
(25) https://www.foxnews.com/media/elon-musk-develop-truthgpt-warns-civilizational-destruction-ai
(26) https://www.reuters.com/technology/eus-breton-warns-chatgpt-risks-ai-rules-seek-tackle-concerns-2023-02-03/

〔第2章〕
(1) https://openai.com/research/language-unsupervised
(2) https://research.google/pubs/pub46201/
(3) https://openai.com/research/better-language-models
(4) https://arxiv.org/abs/2005.14165
(5) https://openai.com/research/gpt-2-1-5b-release
(6) https://openai.com/research/instruction-following
(7) https://openai.com/blog/chatgpt
(8) https://kaztaira.wordpress.com/2019/02/11/three_skynets_and_ai_risk_society/
(9) https://platform.openai.com/examples
(10) https://openai.com/blog/chatgpt-plugins

(11) https://blogs.bing.com/search/may_2023/Bing-at-Microsoft-Build-2023

(12) https://help.openai.com/en/articles/6825453-chatgpt-release-notes

(13) https://openai.com/product/dall-e-2

(14) https://openai.com/research/jukebox

(15) https://www.fable-studio.com/behind-the-scenes/ai-generation

(16) https://openai.com/customer-stories/government-of-iceland

(17) https://openai.com/customer-stories/be-my-eyes

〔第3章〕

(1) https://www.tandfonline.com/doi/full/10.1080/14703297.2023.2190148

(2) https://openai.com/blog/new-ai-classifier-for-indicating-ai-written-text

(3) https://www.turnitin.com/press/turnitin-turns-on-ai-writing-detection-capabilities-for-educators-and-institutions

(4) https://arxiv.org/abs/2303.11156

(5) https://www.pnas.org/doi/10.1073/pnas.2208839120

(6) https://www.ucl.ac.uk/students/exams-and-assessments/assessment-success-guide/engaging-ai-your-education-and-assessment

(7) https://piloti.sophia.ac.jp/assets/uploads/2023/03/27162222/23f430e7f216cbe188652f8a6855c493.pdf

（8） https://utelecon.adm.u-tokyo.ac.jp/docs/20230403-generative-ai
（9） https://www.washingtonpost.com/nation/2023/03/23/chatgpt-paper-plagiarism-university/
（10） https://www.nature.com/articles/d41586-023-00107-z
（11） https://www.nature.com/articles/d41586-023-00191-1
（12） https://www.science.org/doi/10.1126/science.adg7879
（13） https://platform.openai.com/docs/chatgpt-education
（14） https://investor.chegg.com/Press-Releases/press-release-details/2023/Chegg-Announces-First-Quarter-2023-Earnings/default.aspx
（15） https://www.cnbc.com/2023/05/02/chegg-drops-more-than-40percent-after-saying-chatgpt-is-killing-its-business.html
（16） https://www.businesswire.com/news/home/20230417005324/en/Chegg-announces-CheggMate-the-new-AI-companion-built-with-GPT-4
（17） https://www.theguardian.com/business/2023/may/02/pearson-shares-fall-after-us-rival-says-ai-hurting-its-business

〔第4章〕
（1） https://cdn.openai.com/papers/gpt-4.pdf#page=46
（2） https://blog.google/technology/ai/bard-google-ai-search-updates/
（3） https://www.reuters.com/technology/google-ai-chatbot-bard-offers-inaccurate-information-

company-ad-2023-02-08/

(4) https://www.statnews.com/2023/02/01/promises-pitfalls-chatgpt-assisted-medicine/

(5) https://twitter.com/dsmerdon/status/1618816703923912704

(6) https://twitter.com/dileeplearning/status/1598959545229115392

(7) https://developers.google.com/search/blog/2023/02/google-search-and-ai-content?hl=ja

(8) https://www.newyorker.com/tech/annals-of-technology/chatgpt-is-a-blurry-jpeg-of-the-web

(9) https://twitter.com/juanbuis/status/1638289186351456257

(10) https://news.ycombinator.com/item?id=35246669

(11) https://twitter.com/tomwarren/status/1638515578796113922

(12) https://twitter.com/PennyNevilleLee/status/1653791716682477569

(13) https://www.newsguardtech.com/special-reports/newsbots-ai-generated-news-websites-proliferating/

(14) https://www.newsguardtech.com/press/newsguard-now-identifies-125-news-and-information-websites-generated-by-ai-develops-framework-for-defining-unreliable-ai-generated-news-and-information-sources/

(15) https://www.vice.com/en/article/5d9bvn/ai-spam-is-already-flooding-the-internet-and-it-has-an-obvious-tell

〔第5章〕

(1) https://www.buzzfeed.com/buzzfeedpress/buzzfeed-unveils-new-content-format-infinity-quizzes
(2) https://www.buzzfeed.com/buzzfeedpress/buzzfeed-launches-under-the-influencer-an-ai-game
(3) https://www.bloomberg.com/news/articles/2023-05-11/buzzfeed-says-its-readers-spend-40-more-time-with-ai-quizzes
(4) https://www.buzzfeed.com/jonah/our-way-forward
(5) https://www.theguardian.com/commentisfree/2020/sep/08/robot-wrote-this-article-gpt-3
(6) https://twitter.com/GaelBreton/status/1613110185995771905
(7) https://www.cnet.com/tech/cnet-is-testing-an-ai-engine-heres-what-weve-learned-mistakes-and-all/
(8) https://www.theverge.com/2023/1/25/23571082/cnet-ai-written-stories-errors-corrections-red-ventures
(9) https://www.theverge.com/2023/4/20/23691169/buzzfeed-news-shut-down-jonah-peretti-memo
(10) https://www.challengergray.com/blog/the-challenger-report-job-cuts-in-2022-up-13-over-2021/
(11) https://www.vice.com/en/article/pkap5v/vice-media-llc-files-for-chapter-11-bankruptcy
(12) https://web.archive.org/web/20160519201815/http://www.recode.net/2015/3/16/11560308/buzzfeeds-new-strategy-fishing-for-eyeballs-in-other-peoples-streams

〔第6章〕

（1）https://www.tooltester.com/en/blog/chatgpt-survey-can-people-tell-the-difference/

（2）https://www.brookings.edu/techstream/how-generative-ai-impacts-democratic-engagement/

（3）https://www.wired.com/story/isps-funded-85-million-fake-comments-opposing-net-neutrality/

（4）https://openai.com/policies/usage-policies

（5）https://www.nytimes.com/2023/03/28/us/politics/artificial-intelligence-2024-campaigns.html

（6）https://arxiv.org/abs/2102.04351

（7）https://cset.georgetown.edu/publication/truth-lies-and-automation/

（8）https://newrepublic.com/article/171459/chatgpt-ai-cornell-experiment-politicians-constituents-emails

〔第7章〕

（1）https://www.youtube.com/live/ZxxQlbiM8EM?feature=share&t=5986

（2）https://edition.cnn.com/2023/03/02/politics/fact-check-zelensky-americans-fighting-ukraine-video/index.html

（3）https://apnews.com/article/fact-check-volodymyr-zelenskyy-ukraine-war-troops-883661209159

（4）https://www.newsweek.com/zelensky-ukraine-us-russia-war-children-1784657

（5）https://www.youtube.com/watch?v=XESL1mQjfQY

（6）https://mediabiasfactcheck.com/

（7） https://www.allsides.com/
（8） https://www.newsguardtech.com/
（9） https://adfontesmedia.com/
（10） https://www.zdnet.com/article/newsguard-becomes-free-for-all-microsoft-edge-users/
（11） https://www.newsguardtech.com/ratings/rating-process-criteria/
（12） https://abcnews.go.com/Technology/openai-ceo-sam-altman-ai-reshape-society-acknowledges/story?id=97897122

〔第8章〕

（1） https://www.theage.com.au/technology/australian-whistleblower-to-test-whether-chatgpt-can-be-sued-for-lying-20230405-p5cy9b.html
（2） https://www.cdpp.gov.au/case-reports/securency-and-note-printing-australia-foreign-bribery-prosecutions-finalised
（3） https://www.smh.com.au/business/companies/seven-years-and-millions-of-dollars-later-australia-s-biggest-bribery-prosecution-finally-revealed-20181108-p50eut.html
（4） https://www.abc.net.au/news/2023-04-06/hepburn-mayor-flags-legal-action-over-false-chatgpt-claims/102195610
（5） https://www.usatoday.com/story/opinion/columnist/2023/04/03/chatgpt-misinformation-bias-flaws-ai-chatbot/11571830002/

（6） https://www.washingtonpost.com/technology/2023/04/05/chatgpt-lies/

〔第9章〕

（1） https://edpb.europa.eu/news/news/2023/edpb-resolves-dispute-transfers-meta-and-creates-task-force-chat-gpt_en

（2） https://www.garanteprivacy.it/web/guest/home/docweb/-/docweb-display/docweb/9870847

（3） https://openai.com/blog/our-approach-to-ai-safety

（4） https://openai.com/blog/new-ways-to-manage-your-data-in-chatgpt

（5） https://www.garanteprivacy.it/web/guest/home/docweb/-/docweb-display/docweb/9874751

（6） https://www.gpdp.it/home/docweb/-/docweb-display/docweb/9881490#english

（7） https://openai.com/blog/march-20-chatgpt-outage

（8） https://www.priv.gc.ca/en/opc-news/news-and-announcements/2023/an_230404/

（9） https://www.businessinsider.com/amazon-chatgpt-openai-warns-employees-not-share-confidential-information-microsoft-2023-1

（10） https://openai.com/policies/api-data-usage-policies

（11） https://www.cyberhaven.com/blog/4-2-of-workers-have-pasted-company-data-into-chatgpt/

（12） https://www.fishbowlapp.com/insights/70-percent-of-workers-using-chatgpt-at-work-are-not-telling-their-boss/

（13） https://www.nikkei.com/article/DGXZQOUB110Z30R10C23A4000000/

(14) https://arxiv.org/abs/2303.10130

(15) https://www.bloomberg.com/news/articles/2023-05-01/ibm-to-pause-hiring-for-back-office-jobs-that-ai-could-kill

(16) https://www.wga.org/uploadedfiles/members/member_info/contract-2023/WGA_proposals.pdf

(17) https://www.europol.europa.eu/publications-events/publications/chatgpt-impact-of-large-language-models-law-enforcement

(18) https://openai.com/research/forecasting-misuse

(19) https://futureoflife.org/open-letter/pause-giant-ai-experiments/

(20) https://futureoflife.org/open-letter/ai-principles/

(21) https://futureoflife.org/open-letter/lethal-autonomous-weapons-pledge/

(22) https://futureoflife.org/wp-content/uploads/2023/04/FLI_Policymaking_In_The_Pause.pdf

(23) https://www.nytimes.com/2023/05/01/technology/ai-google-chatbot-engineer-quits-hinton.html

(24) https://twitter.com/geoffreyhinton/status/1653687894534504451

(25) https://www.bbc.com/news/world-us-canada-65452940

(26) https://twitter.com/ylecun/status/1651451901567746051

(27) https://www.nytimes.com/1977/05/08/archives/experts-argue-whether-computers-could-reason-and-if-they-should.html

〔第10章〕

（1）https://www.nytimes.com/2023/03/08/opinion/noam-chomsky-chatgpt-ai.html

（2）ハンナ・アーレント著、大久保和郎訳『新版　エルサレムのアイヒマン——悪の陳腐さについての報告』みすず書房、２０１７年。

（3）https://twitter.com/TayandYou

（4）https://blogs.microsoft.com/blog/2016/03/25/learning-tays-introduction/

（5）https://time.com/6247678/openai-chatgpt-kenya-workers/

（6）https://www.monmouth.edu/polling-institute/reports/monmouthpoll_us_021523/

（7）https://noahpinion.substack.com/p/interview-kevin-kelly-editor-author

〔第11章〕

（1）https://www.washingtonpost.com/technology/interactive/2023/ai-chatbot-learning/

（2）https://www.tensorflow.org/datasets/catalog/c4

（3）https://www.justice.gov/usao-edny/pr/two-russian-nationals-charged-running-massive-e-book-piracy-website

（4）https://ustr.gov/sites/default/files/IssueAreas/IP/2021%20Notorious%20Markets%20List.pdf

（5）https://www.consilium.europa.eu/en/press/press-releases/2022/03/02/eu-imposes-sanctions-on-state-owned-outlets-rt-russia-today-and-sputnik-s-broadcasting-in-the-eu/

（6）https://ag.ny.gov/press-release/2022/attorney-general-james-and-governor-hochul-release-re

port-role-online-platforms
(7) https://commoncrawl.org/the-data/get-started/
(8) https://github.com/LDNOOBW/List-of-Dirty-Naughty-Obscene-and-Otherwise-Bad-Words
(9) https://s10251.pcdn.co/pdf/2021-dodge-c4.pdf
(10) https://github.com/google-research/text-to-text-transfer-transformer#c4
(11) https://arxiv.org/pdf/2201.08239.pdf#page=47
(12) https://github.com/facebookresearch/llama/blob/main/MODEL_CARD.md
(13) https://cdn.openai.com/papers/gpt-4.pdf#page=2
(14) https://www.bloomberg.com/news/articles/2023-02-17/openai-is-faulted-by-media-for-using-articles-to-train-chatgpt
(15) https://www.newsmediaalliance.org/ai-principles/
(16) https://www.pressnet.or.jp/statement/20230517.pdf
(17) https://www.bunka.go.jp/seisaku/chosakuken/hokaisei/h30_hokaisei/
(18) https://www.nytimes.com/2023/04/18/technology/reddit-ai-openai-google.html
(19) https://www.pewresearch.org/journalism/2016/02/25/reddit-news-users-more-likely-to-be-male-young-and-digital-in-their-news-preferences/
(20) https://rc.library.uta.edu/uta-ir/handle/10106/29572
(21) https://dl.acm.org/doi/10.1145/3442188.3445922
(22) https://www.wired.com/story/prominent-ai-ethics-researcher-says-google-fired-her/

(23) https://www.nature.com/articles/s42256-021-00359-2
(24) https://twitter.com/spiantado/status/1599462375887114240
(25) https://www.eeoc.gov/joint-statement-enforcement-efforts-against-discrimination-and-bias-automated-systems
(26) https://www.prnewswire.com/news-releases/class-action-filed-against-stability-ai-midjourney-and-deviantart-for-dmca-violations-right-of-publicity-violations-unlawful-competition-breach-of-tos-301721869.html
(27) https://laion.ai/blog/laion-5b/
(28) https://www.reuters.com/legal/ai-companies-ask-us-court-dismiss-artists-copyright-lawsuit-2023-04-19/
(29) https://newsroom.gettyimages.com/en/getty-images/getty-images-statement
(30) https://www.theverge.com/2023/2/6/23587393/ai-art-copyright-lawsuit-getty-images-stable-diffusion

〔第12章〕

(1) https://www.nytimes.com/2023/04/12/world/artificial-intelligence-nick-bostrom.html
(2) https://cajundiscordian.medium.com/what-is-lamda-and-what-does-it-want-688632134489
(3) https://cajundiscordian.medium.com/is-lamda-sentient-an-interview-ea64d916d917
(4) https://blog.google/technology/ai/google-palm-2-ai-large-language-model/

(5)　https://www.newsweek.com/google-ai-blake-lemoine-bing-chatbot-sentient-1783340
(6)　https://twitter.com/ilyasut/status/1491554478243258368
(7)　https://arxiv.org/abs/2303.12712
(8)　https://academic.oup.com/mind/article/LIX/236/433/986238

〔第13章〕

(1)　https://aiindex.stanford.edu/report/
(2)　https://www.tortoisemedia.com/intelligence/global-ai/
(3)　https://twitter.com/POTUS/status/1654237472065302528
(4)　https://www.whitehouse.gov/briefing-room/statements-releases/2023/05/04/readout-of-white-house-meeting-with-ceos-on-advancing-responsible-artificial-intelligence-innovation/
(5)　https://www.whitehouse.gov/briefing-room/statements-releases/2023/05/04/fact-sheet-biden-harris-administration-announces-new-actions-to-promote-responsible-ai-innovation-that-protects-americans-rights-and-safety/
(6)　https://apnews.com/article/joe-biden-artificial-intelligence-science-technology-chatgpt-6948df344041ef1e794d199595bf69e9
(7)　https://www.whitehouse.gov/ostp/news-updates/2022/10/04/blueprint-for-an-ai-bill-of-rightsa-vision-for-protecting-our-civil-rights-in-the-algorithmic-age/
(8)　https://www.reuters.com/article/us-amazon-com-jobs-automation-insight-idUSKCN1MK08G

（9）https://www.propublica.org/article/machine-bias-risk-assessments-in-criminal-sentencing
（10）https://www.whitehouse.gov/briefing-room/presidential-actions/2023/02/16/executive-order-on-further-advancing-racial-equity-and-support-for-underserved-communities-through-the-federal-government/
（11）https://www.nist.gov/itl/ai-risk-management-framework
（12）https://ntia.gov/press-release/2023/ntia-seeks-public-input-boost-ai-accountability
（13）https://eur-lex.europa.eu/legal-content/EN/TXT/?uri=celex%3A52021PC0206
（14）https://www.europarl.europa.eu/news/en/press-room/20230505IPR84904/ai-act-a-step-closer-to-the-first-rules-on-artificial-intelligence
（15）http://www.cac.gov.cn/2023-04/11/c_1682854275475410.htm
（16）https://www.g7hiroshima.go.jp/documents/pdf/Leaders_Communique_01_jp.pdf
（17）朝日新聞「岸田首相インタビュー（要旨）」２０２３年５月16日朝刊４面。
（18）https://note.com/akihisa_shiozaki/n/n4c126c27fd3d
（19）朝日新聞「ＡＩ　ウサギ（研究進む他国）が規制で休む間に／焦る政府・自民『カメが追い抜こう』」２０２３年４月26日朝刊３面。
（20）https://www8.cao.go.jp/cstp/ai/aigensoku.pdf
（21）https://www8.cao.go.jp/cstp/ai/aistratagy2019.pdf
（22）https://www8.cao.go.jp/cstp/ai/aistrategy2021_honbun.pdf
（23）https://www8.cao.go.jp/cstp/ai/aistrategy2022_honbun.pdf

(24) ユヴァル・ノア・ハラリ著、柴田裕之訳『ホモ・デウス――テクノロジーとサピエンスの未来』河出書房新社、２０１８年。
(25) https://www.pwc.com/gx/en/issues/analytics/assets/pwc-ai-analysis-sizing-the-prize-report.pdf
(26) https://www.weforum.org/agenda/2023/01/davos23-ai-divide-global-north-global-south/

〔終章〕

（１） 東京朝日新聞「未来を語る　空想座談会（４）／人造人間」１９２９年７月13日朝刊５面。
（２） 井上晴樹著『日本ロボット創世記　１９２０～１９３８』ＮＴＴ出版、１９９３年。
（３） 平和博「メディア報道から見る『ＡＩへの〝違和感〟』」桜美林大学研究紀要、社会科学研究、第２号、３３９―３４７頁、２０２２年３月25日。
https://obirin.repo.nii.ac.jp/?action=pages_view_main&active_action=repository_view_main_item_detail&item_id=2609&item_no=1&page_id=13&block_id=38
（４） マーシャル・マクルーハン、クエンティン・フィオーレ著、門林岳史訳『メディアはマッサージである――影響の目録』河出文庫、２０１５年。
（５） https://kaztaira.wordpress.com/
（６） https://news.yahoo.co.jp/byline/kazuhirotaira
（７） https://dot.asahi.com/dot/2023022600023.html
（８） https://dot.asahi.com/dot/2023041900015.html
（９） https://dot.asahi.com/dot/2023041900017.html

平　和博（たいら　かずひろ）

桜美林大学リベラルアーツ学群教授（メディア・ジャーナリズム）。1962年生まれ。早稲田大学卒業後、1986年、朝日新聞社入社。社会部、シリコンバレー（サンノゼ）駐在、科学グループデスク、編集委員、IT専門記者（デジタルウオッチャー）などを担当。2019年4月から現職。2022年10月から日本ファクトチェックセンター運営委員。主な著書に『悪のAI論――あなたはここまで支配されている』『信じてはいけない――民主主義を壊すフェイクニュースの正体』（いずれも朝日新書）などがある。

文春新書

1413

チャットGPT vs. 人類《じんるい》

2023年6月20日　第1刷発行
2023年7月10日　第2刷発行

著　者　平　和博
発行者　大松芳男
発行所　株式会社　文藝春秋

〒102-8008　東京都千代田区紀尾井町3-23
電話（03）3265-1211（代表）

印刷所　理想社
付物印刷　大日本印刷
製本所　大口製本

定価はカバーに表示してあります。
万一、落丁・乱丁の場合は小社製作部宛お送り下さい。
送料小社負担でお取替え致します。

ISBN978-4-16-661413-4